# 5 학년이 ✓ 꼭 알아야 한 수학 서술형

# 서술형

## 특징

1. 3~6학년까지 1·2학기로 구성되어 있습니다.

2. 다양한 서술형 문제를 제시된 풀이 과정에 따라 학습하고 익히면서 자연스럽게 문제 해결이 가능하도록 하였습니다.

3. 학교 교과 과정을 기준으로 하여 학기 중에 학교 진도에 맞추어 학습이 가능하도록 하였습니다.

## 구성

**서술형 탐구**  대표적인 서술형 유형을 선택하여 서술 길라잡이와 함께 제시된 풀이 과정을 통해 문제 해결 방법을 익히도록 구성하였습니다.

**서술형 완성하기**  서술형 탐구와 유사한 문제를 빈칸을 채우며 풀이 과정을 익히는 학습을 통해 같은 유형의 서술형 문제를 익히도록 구성하였습니다.

**서술형 정복하기**  서술형 완성하기에서 배운 풀이 전개 방법을 완벽하게 반복 연습하여 서술형 문제에 대한 자신감을 갖도록 구성하였습니다.

**실전! 서술형**  단원을 마무리 하면서 익힌 내용을 다시 한 번 정리해보고 확인하여 자신의 실력으로 만들 수 있도록 구성하였습니다.

# CONTENTS

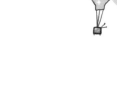

# 수의 범위와 어림하기

22 초과 25 미만인 수는 모두 몇 개인지 풀이 과정을 쓰고 답을 구하시오. (4점)

| | | | | |
|---|---|---|---|---|
| 22.4 | 22 | 25.1 | 26.8 | 18 |
| 25 | 23.3 | 22.02 | 24.9 | 31.0 |

**서술 길라잡이** 초과와 미만은 그 수를 포함하지 않습니다.

🖉 22 초과 25 미만인 수는 22보다 크고 25보다 작은 수이므로 22.4, 23.3, 22.02, 24.9입니다. 따라서 22 초과 25 미만인 수는 모두 4개입니다.

**답** _____4개_____

| **평가 기준** | 범위에 알맞은 수를 모두 바르게 찾은 경우 | 3점 | **합 4점** |
|---|---|---|---|
| | 범위에 알맞은 수를 세어 답을 구한 경우 | 1점 | |

**서술형 완성하기** 서술형 풀이를 완성하고 답을 써 보시오.

**1** 17 이상인 수를 설명하고 모두 찾아 쓰시오.

| | | | | | | |
|---|---|---|---|---|---|---|
| 15.9 | 17 | 18.7 | 16.4 | 20 | 7 | 11 |

🖉 17 이상인 수는 ( 17보다 큰 수, 17보다 크거나 같은 수 )이므로 ☐, ☐, ☐입니다.

**답** _____

**2** 용희네 모둠 학생들의 100 m 달리기 기록을 나타낸 표입니다. 기록이 18초 이하인 학생은 모둠 대표로 달리기 시합에 나갈 수 있습니다. 달리기 시합에 나갈 수 있는 학생은 모두 몇 명인지 풀이 과정을 쓰고 답을 구하시오.

100 m 달리기 기록

| 이름 | 기록(초) | 이름 | 기록(초) | 이름 | 기록(초) |
|---|---|---|---|---|---|
| 용희 | 18.5 | 효근 | 18 | 동민 | 18.7 |
| 한별 | 20 | 석기 | 17.8 | 영수 | 17.6 |

🖉 18초 이하는 ( 18초보다 빠른, 18초보다 빠르거나 같은 ) 기록이므로 ☐초, ☐초, 17.6 초입니다. 따라서 달리기 시합에 나갈 수 있는 학생은 ☐, ☐, 영수로 모두 ☐명입니다.

**답** _____

**1** 34 초과 37 미만인 수는 모두 몇 개인지 풀이 과정을 쓰고 답을 구하시오. (4점)

| 34.0 | 36.9 | 37.4 | 37 | 38.01 | 35 | 33.4 | 34.5 |

답 _____

**2** 2018년 평창 동계올림픽에서 획득한 국가별 전체 메달 수를 나타낸 표입니다. 메달을 29개 이상 획득한 나라를 모두 찾아 쓰고 이유를 설명하시오. (4점)

**국가별 전체 메달 수**

| 나라 | 스웨덴 | 캐나다 | 노르웨이 | 대한민국 | 스위스 | 독일 |
|------|--------|--------|----------|----------|--------|------|
| 메달 수(개) | 14 | 29 | 39 | 17 | 15 | 31 |

답 _____

**3** 씨름 경기에서 초등부의 용사급은 몸무게가 55 kg 초과 60 kg 이하입니다. 용사급에 해당하는 학생은 모두 몇 명인지 풀이 과정을 쓰고 답을 구하시오. (4점)

**학생들의 몸무게**

| 이름 | 한솔 | 석기 | 동민 | 솔별 | 영수 | 석기 | 효근 |
|------|------|------|------|------|------|------|------|
| 몸무게(kg) | 62 | 53.7 | 43.2 | 58.2 | 60 | 60.3 | 55.8 |

답 _____

## 서술형 탐구

걷기 대회가 열립니다. 동민이네 가족이 주최측에 문의하였더니 동민이와 동생은 참가할 수 없다고 하였습니다. 걷기 대회에 참가하려면 나이가 몇 세 이상이어야 하는지 설명하고 답을 구하시오. (5점)

**가족의 나이**

| 가족 | 동민 | 어머니 | 형 | 아버지 | 동생 | 누나 |
|---|---|---|---|---|---|---|
| 나이(세) | 11 | 38 | 12 | 42 | 7 | 14 |

**서술 길라잡이** 참가할 수 있는 사람과 참가할 수 없는 사람의 나이를 살펴보고 그 기준을 설명합니다.

✎ 11세인 동민이는 참가할 수 없고 12세인 형은 참가할 수 있으므로 걷기 대회에 참가하려면 나이가 12세 이상이어야 합니다.

**답** 12세 이상

| 평가기준 | 설명이 논리적이고 바른 경우 | 3점 | 합 5점 |
|---|---|---|---|
| | 답을 바르게 나타낸 경우 | 2점 | |

## 서술형 완성하기

서술형 풀이를 완성하고 답을 써 보시오.

**1** 6대의 차가 다리를 통과하려고 하는데 다, 마는 통과할 수 없다고 합니다. 다리를 통과하려면 차의 무게가 몇 kg 미만이어야 하는지 설명하고 답을 구하시오.

> 가 : 850 kg    나 : 705 kg    다 : 870 kg    라 : 600 kg    마 : 851 kg

✎ 무게가 851 kg인 차는 다리를 통과할 수 없고 무게가 □ kg인 차는 다리를 통과할 수 있으므로 이 다리를 통과하려면 차의 무게가 □ kg 미만이어야 합니다.

**답**

**2** 어느 박물관에 무료로 입장할 수 있는 나이에 ○표 한 것입니다. 이 박물관에 무료로 입장하려면 나이가 몇 세 초과이어야 하는지 설명하고 답을 구하시오.

> ⟨61세⟩    60세    58세    ⟨62세⟩    54세

✎ 61세는 무료이고 □ 세는 무료가 아니므로 이 박물관에 무료로 입장하려면 나이가 □ 세 초과이어야 합니다.

**답**

**1** 시내 버스를 타려고 하는데 지혜와 예슬이만 버스비를 내야 합니다. 버스비를 내지 않아도 되는 나이는 만 몇 세 미만인지 설명하고 답을 구하시오. (5점)

> 지혜 : 만 6세    한별 : 만 5세    예슬 : 만 8세    가영 : 만 4세

답 _____

**2** 씨름부에 지원할 수 있는 사람은 영수와 석기라고 합니다. 씨름부의 지원 자격은 몸무게 몇 kg 이상인지 설명하고 답을 구하시오. (5점)

**학생들의 몸무게**

| 이름 | 영수 | 동민 | 효근 | 한별 | 석기 | 한솔 |
|------|------|------|------|------|------|------|
| 몸무게(kg) | 63.2 | 52.8 | 49.6 | 59.9 | 60.0 | 55.1 |

답 _____

**3** 예슬이는 친구들과 놀이공원에 갔습니다. 놀이기구를 타려고 하는데 직원이 키를 재어 본 후 가영이와 동민이는 탈 수 없다고 하였습니다. 이 놀이기구를 타려면 키가 몇 m 몇 cm 이상이어야 하는지 설명하고 답을 구하시오. (5점)

> 예슬 : 1 m 35 cm    솔별 : 1 m 38 cm    가영 : 1 m 30 cm
> 효근 : 1 m 41 cm    동민 : 1 m 34 cm    지혜 : 1 m 36 cm

답 _____

수직선에 나타낸 수의 범위에 대해 설명하고 답을 쓰시오. (4점)

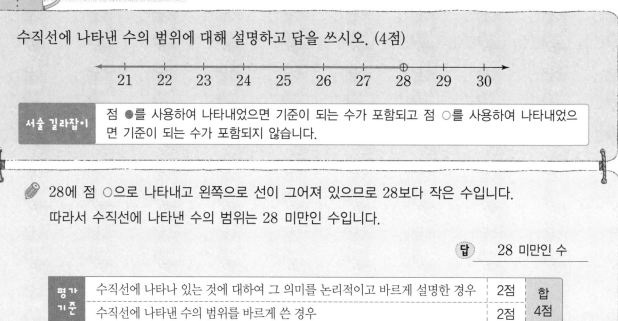

| 서술 길라잡이 | 점 ●를 사용하여 나타내었으면 기준이 되는 수가 포함되고 점 ○를 사용하여 나타내었으면 기준이 되는 수가 포함되지 않습니다. |
|---|---|

🖊 28에 점 ○으로 나타내고 왼쪽으로 선이 그어져 있으므로 28보다 작은 수입니다.

따라서 수직선에 나타낸 수의 범위는 28 미만인 수입니다.

**답**    28 미만인 수

| 평가 기준 | 수직선에 나타나 있는 것에 대하여 그 의미를 논리적이고 바르게 설명한 경우 | 2점 | 합 4점 |
|---|---|---|---|
| | 수직선에 나타낸 수의 범위를 바르게 쓴 경우 | 2점 | |

# 서술형 완성하기    서술형 풀이를 완성하고 답을 써 보시오.

**1** 수의 범위를 수직선에 나타내고 그 방법을 설명하시오.

13 초과 17 이하인 수

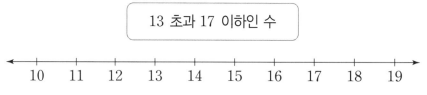

🖊 13 초과인 수는 13을 ( 포함하므로, 포함하지 않으므로 ) 13에 점 ( ○, ● )으로 나타내고,

17 이하인 수는 17을 ( 포함하므로, 포함하지 않으므로 ) 17에 점 ( ○, ● )으로 나타낸 후

두 점 사이에 선을 긋습니다.

**2** 수직선에 나타낸 수의 범위에 속하는 가장 작은 자연수는 얼마인지 풀이 과정을 쓰고 답을 구하시오.

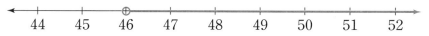

🖊 46에 점 ○으로 나타내고 오른쪽으로 선이 그어져 있으므로 수직선에 나타낸 수의 범위는

46 ☐ 인 수입니다.

따라서 46 ☐ 인 수의 범위에 속하는 가장 작은 자연수는 ☐ 입니다.

**답** _____

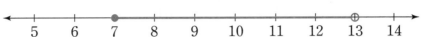
**1** 수직선에 나타낸 수의 범위에 대해 설명하고 답을 쓰시오. (4점)

답 _____

**2** 42 초과인 수의 범위를 수직선에 나타내고 그 방법을 설명하시오. (4점)

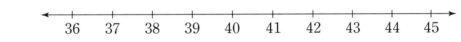

**3** 수직선에 나타낸 수의 범위에 속하는 가장 큰 자연수와 가장 작은 자연수의 차는 얼마인지 풀이 과정을 쓰고 답을 구하시오. (5점)

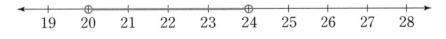

답 _____

어느 도시의 인구는 4250197명입니다. 이 수를 어림하였더니 4300000명이 되었습니다. 어떻게 어림하였는지 2가지 방법으로 설명하시오. (4점)

**서술 길라잡이** 올림, 버림, 반올림을 적절히 사용하여 여러 가지 방법으로 설명해 봅니다.

[방법 1] 예) 4250197을 만의 자리에서 반올림하여 나타내면 4300000입니다.

[방법 2] 예) 4250197을 올림하여 십만의 자리까지 나타내면 4300000입니다.

**평가 기준** 1가지 방법을 설명할 때마다 2점씩 배점하여 총 4점이 되도록 평가합니다. **합 4점**

## 서술형 완성하기 서술형 풀이를 완성하고 답을 써 보시오.

**1** 31086을 어림하였더니 31000이 되었습니다. 어떻게 어림하였는지 3가지 방법으로 설명하시오.

[방법 1] 31086을 ( 올림, 버림 )하여 천의 자리까지 나타내면 31000입니다.

[방법 2] 31086을 ( 일, 십, 백, 천, 만 )의 자리에서 반올림하여 나타내면 31000입니다.

[방법 3] 31086을 ( 올림, 버림, 반올림 )하여 백의 자리까지 나타내면 31000입니다.

**2** 다음 수를 올림, 버림, 반올림하여 천의 자리까지 나타내려고 합니다. 나타낸 수가 다른 하나는 어떤 방법으로 어림하여 나타낸 수인지 설명하고 답을 구하시오.

> 7254

7254를 올림하여 천의 자리까지 나타내면 [ ]입니다.

7254를 버림하여 천의 자리까지 나타내면 [ ]입니다.

7254를 반올림하여 천의 자리까지 나타내면 [ ]입니다.

따라서 나타낸 수가 다른 하나는 ( 올림, 버림, 반올림 )의 방법으로 나타낸 수입니다.

**답** _____

**1** 어느 마을의 인구는 62003명입니다. 이 수를 어림하였더니 62000명이 되었습니다. 어떻게 어림하였는지 3가지 방법으로 설명하시오. (6점)

 [방법 1]

[방법 2]

[방법 3]

**2** 수 1005를 올림, 버림, 반올림하여 백의 자리까지 나타내려고 합니다. 나타낸 수가 다른 하나는 어떤 방법으로 어림하여 나타낸 수인지 설명하고 답을 구하시오. (5점)

답 _____

**3** 어느 양계장에서 일주일 동안 생산되는 달걀의 수가 71850개라고 합니다. 달걀의 수를 반올림하여 백의 자리까지 나타낸 수를 ㉠, 천의 자리에서 반올림하여 나타낸 수를 ㉡, 반올림하여 천의 자리까지 나타낸 수를 ㉢이라고 할 때, ㉠, ㉡, ㉢ 중 가장 작은 수는 어느 것인지 설명하고 답을 구하시오. (5점)

답 _____

## 서술형 탐구

가영이네 학교 5학년 학생 256명이 40인승 버스를 타고 체험 학습을 가려고 합니다. 버스는 적어도 몇 대 필요한지 풀이 과정을 쓰고 답을 구하시오. (5점)

**서술 길라잡이** 올림, 버림, 반올림 중 어느 방법을 이용해야 하는지 판단하고 식을 세워 답을 구합니다.

$256 \div 40 = 6 \cdots 16$에서 40명씩 버스 6대에 타면 16명이 남습니다.

따라서 남는 학생이 없도록 256명이 모두 타야 하므로 버스는 적어도 $6 + 1 = 7$(대) 필요합니다.

답     7대

| 평가 기준 | 풀이 과정이 바른 경우 | 3점 | 합 5점 |
|---|---|---|---|
| | 답을 바르게 구한 경우 | 2점 | |

## 서술형 완성하기   서술형 풀이를 완성하고 답을 써 보시오.

**1** 선물 상자 한 개를 포장하려면 52 cm의 끈이 필요합니다. 끈 750 cm로는 선물 상자를 몇 개까지 포장할 수 있는지 풀이 과정을 쓰고 답을 구하시오.

$750 \div 52 = 14 \cdots 22$에서 52 cm씩 선물 상자 ☐개를 포장하면 끈 ☐cm가 남습니다.

따라서 남는 끈 ☐cm로는 상자를 포장할 수 없으므로 끈 750 cm로는 선물 상자를 ☐개까지 포장할 수 있습니다.

답 _____

**2** 운동회 때 예슬이네 반 학생 32명에게 풍선을 2개씩 나누어 주려고 합니다. 풍선은 10개씩 묶어서만 판매 한다면 적어도 몇 개를 사야 하는지 풀이 과정을 쓰고 답을 구하시오.

필요한 풍선의 수는 $32 \times 2 = 64$(개)입니다.

$64 \div 10 = 6 \cdots 4$에서 풍선을 10개씩 ☐묶음을 사면 풍선 4개가 모자라므로 10개씩 $6 + ☐ = ☐$(묶음)을 사야 합니다.

따라서 풍선은 적어도 $10 \times ☐ = ☐$(개)를 사야 합니다.

답 _____

**1** 어느 도넛 가게에서 도넛 한 개를 만드는 데 48 mL의 우유가 필요하다고 합니다. 우유 972 mL로는 도넛을 몇 개까지 만들 수 있는지 풀이 과정을 쓰고 답을 구하시오. (5점)

 답 _____

**2** 동민이네 학교에서는 매년 헌 종이를 모아서 재활용 센터에 보냅니다. 올해 동민이네 학교에서 모은 헌 종이는 473 kg입니다. 이 헌 종이를 한 개에 30 kg까지 담을 수 있는 자루에 담으려고 합니다. 모두 담으려면 자루가 적어도 몇 개 필요한지 풀이 과정을 쓰고 답을 구하시오. (5점)

 답 _____

**3** 바닥 공사를 하는 데 타일 162장이 필요합니다. 타일은 10장 단위로만 팔며 10장에 5000원이라고 합니다. 바닥 공사를 하려면 타일을 몇 장 사야 하고 타일 가격은 얼마나 드는지 풀이 과정을 쓰고 답을 구하시오. (6점)

 답 _____

백의 자리에서 반올림하여 7000이 되는 가장 큰 자연수와 가장 작은 자연수의 합은 얼마인지 풀이 과정을 쓰고 답을 구하시오. (5점)

| **서술 길라잡이** | 반올림하여 7000이 되는 자연수의 범위를 알아봅니다. |
|---|---|

✏ 백의 자리에서 반올림하여 7000이 되는 자연수는 6500부터 7499까지입니다.

따라서 백의 자리에서 반올림하여 7000이 되는 가장 큰 자연수는 7499이고 가장 작은 자연수는 6500이므로 7499＋6500＝13999입니다.

답 ___13999___

| **평가기준** | 백의 자리에서 반올림하여 7000이 되는 자연수의 범위를 바르게 설명한 경우 | 3점 | **합 5점** |
|---|---|---|---|
| | 답을 바르게 구한 경우 | 2점 | |

**서술형 완성하기**   서술형 풀이를 완성하고 답을 써 보시오.

**1** 올림하여 백의 자리까지 나타내었을 때 2400이 되는 가장 큰 자연수와 가장 작은 자연수의 합은 얼마인지 풀이 과정을 쓰고 답을 구하시오.

✏ 올림하여 백의 자리까지 나타내었을 때 2400이 되는 자연수는 ▢부터 ▢까지입니다.

따라서 올림하여 백의 자리까지 나타내었을 때 2400이 되는 가장 큰 자연수는 ▢이고 가장 작은 자연수는 ▢이므로 ▢＋▢＝▢입니다.

답 _____

**2** 일의 자리에서 반올림하여 30이 되는 수의 범위를 수직선에 나타내고 이유를 설명하시오.

```
←—+—+—+—+—+—+—+—+—+—+—+—+—+—+—+—+—+—+—+—→
   20                  30                  40
```

✏ 일의 자리에서 반올림하여 30이 되는 수의 범위는 ▢ 이상 ▢ 미만인 수입니다.

▢ 이상 ▢ 미만인 수의 범위는 수직선의 수 ▢에 점 ●으로 나타내고 ▢에 점 ○으로 나타낸 후 두 점 사이에 선을 긋습니다.

**1** 버림하여 십의 자리까지 나타낸 수가 950이 되는 가장 큰 자연수와 가장 작은 자연수의 차는 얼마인지 풀이 과정을 쓰고 답을 구하시오. (5점)

답

**2** 백의 자리에서 반올림하여 1000이 되는 가장 큰 자연수와 가장 작은 자연수의 합은 얼마인지 풀이 과정을 쓰고 답을 구하시오. (5점)

답

**3** 일의 자리에서 반올림하여 5000이 되는 수의 범위를 수직선에 나타내고 이유를 설명하시오. (5점)

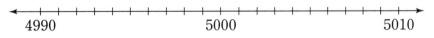

**1** 23 초과 30 이하인 수는 모두 몇 개인지 풀이 과정을 쓰고 답을 구하시오. (4점)

| 24.1 | 23.0 | 18.4 | 28 | 30 | 30.2 | 26.5 | 32 |

답 _____

 **2** 정원 수에 따라 운행하는 승강기가 있습니다. 정원이 같은 6대의 승강기에 다음과 같이 사람이 탔을 때 나, 바는 운행할 수 없다고 합니다. 승강기가 운행되려면 몇 명 미만으로 타야 하는지 설명하고 답을 구하시오. (5점)

**승강기에 탄 사람 수**

| 승강기 | 가 | 나 | 다 | 라 | 마 | 바 |
|--------|-----|-----|-----|-----|-----|-----|
| 사람 수(명) | 10 | 13 | 7 | 12 | 9 | 15 |

답 _____

 **3** 수직선에 나타낸 수의 범위에 속하는 가장 큰 자연수와 가장 작은 자연수의 차는 얼마인지 풀이 과정을 쓰고 답을 구하시오. (5점)

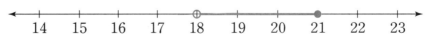

답 _____

**4** 수 1973을 올림, 버림, 반올림하여 백의 자리까지 나타내려고 합니다. 나타낸 수가 다른 하나는 어떤 방법으로 어림하여 나타낸 수인지 설명하고 답을 구하시오. (5점)

답 _____

 **5** 꾸미기를 하는 데 색 테이프 1274 cm가 필요합니다. 색 테이프는 10 cm 단위로 만 팔며 10 cm에 300원이라고 합니다. 꾸미기를 완성하려면 색 테이프를 몇 cm 사야 하고 색 테이프 가격은 얼마나 드는지 풀이 과정을 쓰고 답을 구하시오. (6점)

답 _____

 **6** 십의 자리에서 반올림하여 700이 되는 자연수는 모두 몇 개인지 풀이 과정을 쓰고 답을 구하시오. (6점)

답 _____

논리적 사고력을 키워주는
# 숫자 퍼즐 스도쿠

▣ 게임 방법

1. 모든 세로줄에는 1부터 9까지의 숫자가 겹치지 않게 한 번씩만 들어갑니다.
2. 모든 가로줄에는 1부터 9까지의 숫자가 겹치지 않게 한 번씩만 들어갑니다.
3. 가로, 세로 3×3으로 이루어진 굵은 테두리의 작은 사각형 안에도 1부터 9까지의 숫자가 겹치지 않게 한 번씩만 들어갑니다.

| 3 |   |   | 8 | 2 | 7 |   | 4 |   |
|---|---|---|---|---|---|---|---|---|
| 4 |   | 8 |   | 3 |   |   |   |   |
| 5 | 7 |   |   |   |   | 2 |   |   |
|   |   | 6 |   |   |   |   | 7 | 4 |
|   |   |   |   | 6 |   | 8 |   | 2 |
|   | 4 |   | 9 | 7 | 8 |   |   | 5 |
|   | 1 |   | 7 | 8 | 4 | 3 |   |   |
|   |   | 4 | 2 |   | 3 | 1 |   |   |
|   |   | 7 | 6 | 5 | 1 |   | 9 |   |

# ② 분수의 곱셈

# 서술형 탐구

$2\frac{2}{5} \times 1\frac{1}{2} = 3\frac{3}{5}$ 의 계산 방법을 설명하시오. (4점)

**서술 길라잡이** 대분수를 가분수로 고쳐서 계산합니다.

✏ 대분수를 가분수로 고쳐서 계산합니다.

$$2\frac{2}{5} \times 1\frac{1}{2} = \frac{\overset{6}{12}}{5} \times \frac{3}{\underset{1}{2}} = \frac{18}{5} = 3\frac{3}{5}$$

| 평가 기준 | | | 합 4점 |
|---|---|---|---|
| | 대분수를 가분수로 고쳐서 계산해야 함을 아는 경우 | 2점 | |
| | 알맞은 답을 구한 경우 | 2점 | |

# 서술형 완성하기

빈칸을 채우며 서술형 풀이를 완성하시오.

**1** $2\frac{1}{4} \times 6 = 13\frac{1}{2}$ 임을 2가지 방법으로 설명하시오.

✏ [방법 1] 대분수를 자연수 부분과 분수 부분으로 나누어 계산합니다.

$$2\frac{1}{4} \times 6 = (2 + \frac{1}{4}) \times 6 = (2 \times 6) + (\frac{1}{4} \times \overset{\square}{6})$$
$$\underset{\square}{}$$

$$= \square + \frac{\square}{2} = \square + \square\frac{\square}{2} = \square\frac{\square}{2}$$

[방법 2] 대분수를 가분수로 고쳐서 계산합니다.

$$2\frac{1}{4} \times 6 = \frac{\square}{\underset{\square}{4}} \times \overset{\square}{6} = \frac{\square}{2} = \square\frac{\square}{2}$$

**2** $3\frac{1}{3} \times 5\frac{2}{5} = 18$ 의 계산 방법을 설명하시오.

✏ 대분수를 가분수로 고쳐서 계산합니다.

$$3\frac{1}{3} \times 5\frac{2}{5} = \frac{\overset{\square}{10}}{\underset{\square}{3}} \times \frac{\overset{\square}{27}}{\underset{\square}{5}} = \square$$

**1** $1\dfrac{5}{6} \times 8 = 14\dfrac{2}{3}$ 임을 2가지 방법으로 설명하시오. (4점)

[방법 1]



[방법 2]



**2** $15 \times 2\dfrac{2}{9} = 33\dfrac{1}{3}$ 임을 2가지 방법으로 설명하시오. (4점)

[방법 1]



[방법 2]



**3** $2\dfrac{1}{12} \times 3\dfrac{3}{10} = 6\dfrac{7}{8}$ 의 계산 방법을 설명하시오. (4점)

 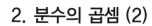

## 서술형 탐구

분수의 크기를 비교하는 방법을 설명하시오. (4점)

$$\frac{2}{5} \times \frac{3}{8} \bigcirc \frac{2}{5}$$

**서술 길라잡이** 곱에서 곱하는 수가 1보다 큰지 작은지 알아봅니다.

$\frac{3}{8}$은 1보다 작습니다.

어떤 수와 1보다 작은 수의 곱은 어떤 수보다 작으므로 $\frac{2}{5} \times \frac{3}{8} \lessdot \frac{2}{5}$입니다.

| 평가<br>기준 | 곱하는 수가 1보다 작은 수임을 안 경우 | 1점 | 합<br>4점 |
|---|---|---|---|
| | 분수의 크기 비교 방법을 설명한 경우 | 3점 | |

## 서술형 완성하기

빈칸을 채우며 서술형 풀이를 완성하시오.

**1** 분수의 크기를 비교하는 방법을 설명하시오.

$$\frac{4}{9} \times 2\frac{1}{4} \bigcirc \frac{4}{9}$$

$2\frac{1}{4}$은 1보다 ( 큽니다 , 작습니다 ).

어떤 수와 1보다 ( 큰 , 작은 ) 수의 곱은 어떤 수보다 ( 크므로 , 작으므로 )

$\frac{4}{9} \times 2\frac{1}{4} \bigcirc \frac{4}{9}$입니다.

**2** 분수의 크기를 비교하는 방법을 설명하시오.

$$\frac{1}{7} \bigcirc \frac{1}{7} \times \frac{1}{3}$$

단위분수끼리의 곱셈에서 곱은 항상 곱해지는 수보다 ( 커집니다 , 작아집니다 ).

따라서 $\frac{1}{7} \bigcirc \frac{1}{7} \times \frac{1}{3}$입니다.

**1** 분수의 크기를 비교하는 방법을 설명하시오. (4점)

$$\frac{3}{10} \bigcirc \frac{3}{10} \times \frac{5}{11}$$

**2** 분수의 크기를 비교하는 방법을 설명하시오. (4점)

$$3\frac{1}{8} \times 1\frac{1}{14} \bigcirc 3\frac{1}{8}$$

**3** 분수의 크기를 비교하는 방법을 설명하시오. (4점)

$$\frac{1}{5} \times \frac{1}{2} \bigcirc \frac{1}{5}$$

한 사람에게 피자 한 판의 $\frac{2}{3}$씩 나누어 주려고 합니다. 9명에게 나누어 주려면 피자는 모두 몇 판 필요한지 풀이 과정을 쓰고 답을 구하시오. (4점)

**서술 길라잡이**  한 사람에게 나누어 주려는 피자의 양에 사람 수를 곱합니다.

✐ (한 사람에게 나누어 주려는 피자의 양)×(사람 수)$= \frac{2}{3} \times \overset{3}{\underset{1}{9}} = 6$(판)

따라서 피자는 모두 6판 필요합니다.

답 _____6판_____

| 평가<br>기준 | 문제에 맞는 식을 세운 경우 | 2점 | 합<br>4점 |
|---|---|---|---|
| | 피자는 모두 몇 판 필요한지 구한 경우 | 2점 | |

## 서술형 완성하기  빈칸을 채우며 서술형 풀이를 완성하고 답을 쓰시오.

**1** 색 테이프 $\frac{21}{25}$ m의 $\frac{3}{7}$을 가지고 꽃 모양을 만들었습니다. 꽃 모양을 만드는 데 사용한 색 테이프는 몇 m인지 풀이 과정을 쓰고 답을 구하시오.

✐ (전체 색 테이프의 길이)$\times \frac{3}{7} = \frac{21}{25} \times \frac{3}{7} = \frac{\boxed{\phantom{0}}}{\boxed{\phantom{0}}}$ (m)

따라서 꽃 모양을 만드는 데 사용한 색 테이프는 $\frac{\boxed{\phantom{0}}}{\boxed{\phantom{0}}}$ m입니다.

답 _____

**2** 석기네 반 학생은 24명입니다. 이 중에서 $\frac{2}{3}$는 남학생이고 남학생의 $\frac{1}{4}$은 수학을 좋아합니다. 석기네 반 학생 중에서 수학을 좋아하는 남학생은 몇 명인지 풀이 과정을 쓰고 답을 구하시오.

✐ 수학을 좋아하는 남학생은 (전체 학생 수)$\times \frac{2}{3} \times \frac{1}{4}$입니다.

따라서 $\overset{8}{\underset{\boxed{\phantom{0}}}{24}} \times \frac{2}{3} \times \frac{1}{\underset{\boxed{\phantom{0}}}{4}} = \boxed{\phantom{0}}$이므로 수학을 좋아하는 남학생은 $\boxed{\phantom{0}}$명입니다.

답 _____

**1** 귤 한 상자의 무게는 $2\frac{3}{4}$ kg입니다. 귤 15상자의 무게는 몇 kg인지 풀이 과정을 쓰고 답을 구하시오. (4점)

답 _____

**2** 가로가 $2\frac{5}{8}$ cm이고 세로가 $4\frac{1}{2}$ cm인 직사각형이 있습니다. 이 직사각형의 넓이는 몇 cm²인지 풀이 과정을 쓰고 답을 구하시오. (4점)

답 _____

**3** 지혜는 사탕 48개 중에서 $\frac{3}{8}$을 친구들에게 나누어 주려고 합니다. 그중의 $\frac{1}{2}$을 가영이에게 주었다면 가영이에게 준 사탕은 몇 개인지 풀이 과정을 쓰고 답을 구하시오. (4점)

답 _____

한솔이의 색종이는 정사각형 모양이고 예슬이의 색종이는 직사각형 모양입니다. 누구의 색종이가 더 넓은지 풀이 과정을 쓰고 답을 구하시오. (4점)

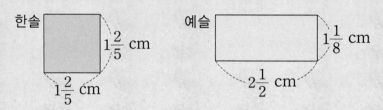

**서술 길라잡이** 먼저 각각 가지고 있는 색종이의 넓이를 구해 봅니다.

✎ (한솔이의 색종이의 넓이)$=1\frac{2}{5}\times1\frac{2}{5}=\frac{7}{5}\times\frac{7}{5}=\frac{49}{25}=1\frac{24}{25}\,(\text{cm}^2)$

(예슬이의 색종이의 넓이)$=2\frac{1}{2}\times1\frac{1}{8}=\frac{5}{2}\times\frac{9}{8}=\frac{45}{16}=2\frac{13}{16}\,(\text{cm}^2)$

따라서 예슬이의 색종이가 더 넓습니다.

**답**  예슬

| 평가<br>기준 | 각각의 색종이의 넓이를 구한 경우 | 3점 | 합<br>4점 |
|---|---|---|---|
| | 누구의 색종이가 더 넓은지 구한 경우 | 1점 | |

**서술형 완성하기** 빈칸을 채우며 서술형 풀이를 완성하고 답을 쓰시오.

**1** 타일 ㉮와 ㉯는 직사각형 모양입니다. 어느 타일이 더 넓은지 풀이 과정을 쓰고 답을 구하시오.

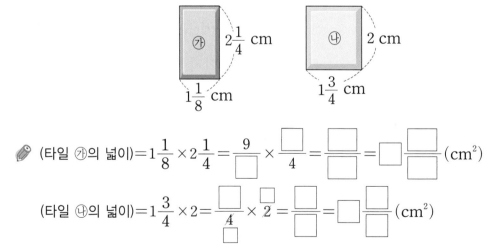

✎ (타일 ㉮의 넓이)$=1\frac{1}{8}\times2\frac{1}{4}=\frac{9}{\square}\times\frac{\square}{4}=\frac{\square}{\square}=\square\frac{\square}{\square}\,(\text{cm}^2)$

(타일 ㉯의 넓이)$=1\frac{3}{4}\times2=\frac{\square}{4}\times\frac{\square}{2}=\frac{\square}{\square}=\square\frac{\square}{\square}\,(\text{cm}^2)$

따라서 타일 $\boxed{\phantom{x}}$ 가 더 넓습니다.

**답**

**1** 웅이의 포장지는 직사각형 모양이고 동민이의 포장지는 정사각형 모양입니다. 누구의 포장지가 더 넓은지 풀이 과정을 쓰고 답을 구하시오. (4점)

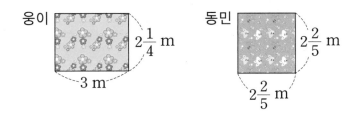

답 _____

**2** 가영이와 동민이가 그린 도형입니다. 가영이가 그린 도형은 정사각형이고, 동민이가 그린 도형은 직사각형일 때 누구의 도형이 더 넓은지 풀이 과정을 쓰고 답을 구하시오. (5점)

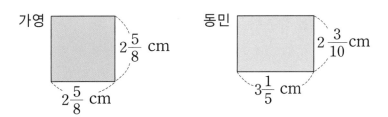

답 _____

## 서술형 탐구

영수는 다음 3장의 숫자 카드를 모두 사용하여 가장 큰 대분수를 만들었습니다. 영수가 만든 대분수의 4배인 수는 얼마인지 풀이 과정을 쓰고 답을 구하시오. (5점)

7    5    3

**서술 길라잡이** 먼저 만들 수 있는 가장 큰 대분수는 무엇인지 알아봅니다.

🖉 만들 수 있는 가장 큰 대분수는 $7\frac{3}{5}$입니다.

➡ $7\frac{3}{5} \times 4 = \frac{38}{5} \times 4 = \frac{152}{5} = 30\frac{2}{5}$

답 _____$30\frac{2}{5}$_____

| 평가<br>기준 | 만들 수 있는 가장 큰 대분수를 구한 경우 | 3점 | 합<br>5점 |
|---|---|---|---|
| | 만든 대분수의 4배인 수를 구한 경우 | 2점 | |

## 서술형 완성하기

빈칸을 채우며 서술형 풀이를 완성하고 답을 쓰시오.

**1** 3장의 숫자 카드 ⌐1, 3, 5 를 모두 사용하여 가장 작은 대분수를 만들었습니다. 만든 대분수의 3배인 수는 얼마인지 풀이 과정을 쓰고 답을 구하시오.

🖉 만들 수 있는 가장 작은 대분수는 $\square\frac{\square}{5}$입니다.

➡ $\square\frac{\square}{5} \times 3 = \frac{\square}{5} \times 3 = \frac{\square}{5} = \square\frac{\square}{5}$

답 _____

**2** 3장의 숫자 카드 2, 3, 4 를 모두 사용하여 가장 큰 대분수와 가장 작은 대분수를 만들었습니다. 만든 두 수의 곱은 얼마인지 풀이 과정을 쓰고 답을 구하시오.

🖉 만들 수 있는 가장 큰 대분수는 $\square\frac{\square}{3}$이고, 가장 작은 대분수는 $\square\frac{\square}{4}$입니다.

➡ $\square\frac{\square}{3} \times \square\frac{\square}{4} = \frac{\square}{3} \times \frac{\square}{4} = \frac{\square}{12} = \frac{\square}{6} = \square\frac{\square}{6}$

답 _____

**1** 3장의 숫자 카드 5 , 7 , 2 를 모두 사용하여 가장 큰 대분수를 만들었습니다. 만든 대분수의 5배인 수는 얼마인지 풀이 과정을 쓰고 답을 구하시오. (5점)

답 _____

**2** 3장의 숫자 카드 4 , 8 , 6 을 모두 사용하여 가장 작은 대분수를 만들었습니다. 만든 대분수의 2배인 수는 얼마인지 풀이 과정을 쓰고 답을 구하시오. (5점)

답 _____

**3** 3장의 숫자 카드 4 , 7 , 1 을 모두 사용하여 가장 큰 대분수와 가장 작은 대분수를 만들었습니다. 만든 두 수의 곱은 얼마인지 풀이 과정을 쓰고 답을 구하시오. (6점)

답 _____

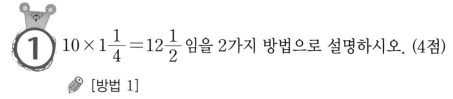

① $10 \times 1\frac{1}{4} = 12\frac{1}{2}$ 임을 2가지 방법으로 설명하시오. (4점)

 [방법 1]

[방법 2]

② 분수의 크기를 비교하는 방법을 설명하시오. (4점)

$$\frac{5}{9} \bigcirc \frac{5}{9} \times 2\frac{1}{2}$$

③ 효근이는 끈을 $2\frac{3}{4}$ m 가지고 있습니다. 상연이는 효근이가 가진 끈의 $1\frac{2}{5}$ 배를 가지고 있습니다. 상연이가 가진 끈은 몇 m인지 풀이 과정을 쓰고 답을 구하시오. (4점)

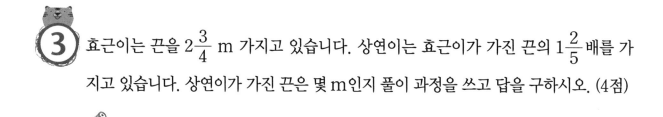

답 _____

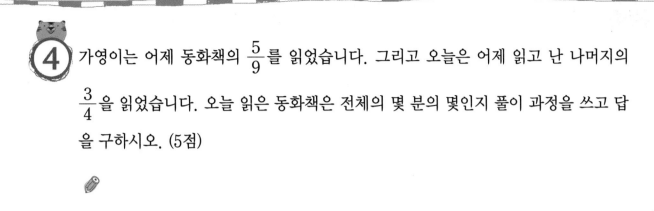

④ 가영이는 어제 동화책의 $\frac{5}{9}$를 읽었습니다. 그리고 오늘은 어제 읽고 난 나머지의 $\frac{3}{4}$을 읽었습니다. 오늘 읽은 동화책은 전체의 몇 분의 몇인지 풀이 과정을 쓰고 답을 구하시오. (5점)

답 _____

⑤ 한 변이 $3\frac{7}{10}$ cm인 정사각형과 가로가 $5\frac{1}{2}$ cm, 세로가 $2\frac{3}{5}$ cm인 직사각형이 있습니다. 어느 것의 넓이가 몇 $cm^2$ 더 넓은지 풀이 과정을 쓰고 답을 구하시오. (5점)

답 _____

⑥ 3장의 숫자 카드 ⃞1 , ⃞3 , ⃞5 를 모두 사용하여 가장 큰 대분수와 가장 작은 대분수를 만들었습니다. 만든 두 수의 곱은 얼마인지 풀이 과정을 쓰고 답을 구하시오. (6점)

답 _____

논리적 사고력을 키워주는
# 숫자 퍼즐 스도쿠

◉ 게임 방법
1. 모든 세로줄에는 I부터 **9**까지의 숫자가 겹치지 않게 한 번씩만 들어갑니다.
2. 모든 가로줄에는 I부터 **9**까지의 숫자가 겹치지 않게 한 번씩만 들어갑니다.
3. 가로, 세로 **3**×**3**으로 이루어진 굵은 테두리의 작은 사각형 안에도 I부터 **9**까지의 숫자가 겹치지 않게 한 번씩만 들어갑니다.

| | 3 | | | 8 | | | | |
|---|---|---|---|---|---|---|---|---|
| 7 | | I | 5 | | 3 | | | 6 |
| | 8 | 6 | I | | 4 | 5 | | |
| | | 9 | 2 | | | 5 | 7 | 3 |
| 6 | | | | 3 | | 8 | 9 | | 4 |
| | | | | 7 | | | 6 | |
| | 9 | 3 | | | | 6 | | |
| 2 | | | 9 | | 7 | | | 5 |
| | | 7 | | | | 8 | 4 | |

# ③ 합동과 대칭

## 서술형 탐구

두 도형이 합동이 되도록 만들려고 합니다. 오른쪽 도형을 어떻게 하면 되는지 설명하시오. (4점)

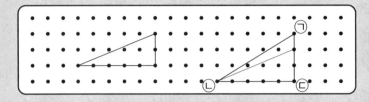

**서술 길라잡이**  모양과 크기가 같아서 포개었을 때, 완전히 겹쳐지는 두 도형을 서로 합동이라고 합니다.

✏️ 두 도형이 합동이 되려면 두 도형의 모양과 크기가 같아야 합니다.
따라서 점 ㉠을 아래쪽으로 한 칸 옮겨야 합니다.

| 평가<br>기준 | 합동의 뜻을 알고 있는 경우 | 2점 | 합<br>4점 |
|---|---|---|---|
| | 두 도형이 합동이 되려면 어떻게 해야 하는지 설명한 경우 | 2점 | |

## 서술형 완성하기  알맞은 말에 ◯표 하여 서술형 풀이를 완성하시오.

**1** 두 도형이 합동이 되도록 만들려고 합니다. 오른쪽 도형을 어떻게 하면 되는지 설명하시오.

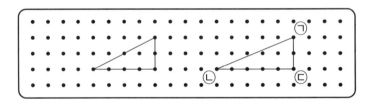

✏️ 두 도형이 합동이 되려면 두 도형의 모양과 크기가 ( 같아야 , 달라야 ) 합니다.
따라서 점 ( ㉠ , ㉡ , ㉢ )을 ( 왼쪽 , 오른쪽 )으로 한 칸 옮겨야 합니다.

**2** 두 도형이 합동이 되도록 만들려고 합니다. 오른쪽 도형을 어떻게 하면 되는지 설명하시오.

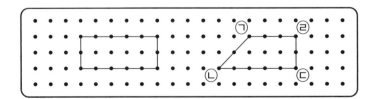

✏️ 두 도형이 합동이 되려면 두 도형의 모양과 크기가 ( 같아야 , 달라야 ) 합니다.
따라서 점 ( ㉠ , ㉡ , ㉢ , ㉣ )을 ( 왼쪽 , 오른쪽 )으로 2칸 옮겨야 합니다.

**1** 두 도형이 합동이 되도록 만들려고 합니다. 오른쪽 도형을 어떻게 하면 되는지 설명하시오. (4점)

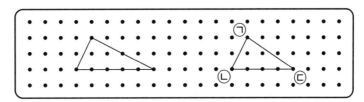

**2** 두 도형이 합동이 되도록 만들려고 합니다. 오른쪽 도형을 어떻게 하면 되는지 설명하시오. (4점)

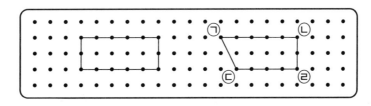

**3** 두 도형이 합동이 되도록 만들려고 합니다. 오른쪽 도형을 어떻게 하면 되는지 설명하시오. (4점)

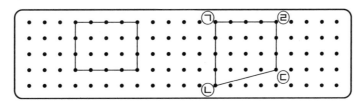

# 서술형 탐구

두 삼각형은 합동입니다. 변 ㄹㅁ의 길이는 몇 cm인지 풀이 과정을 쓰고 답을 구하시오. (4점)

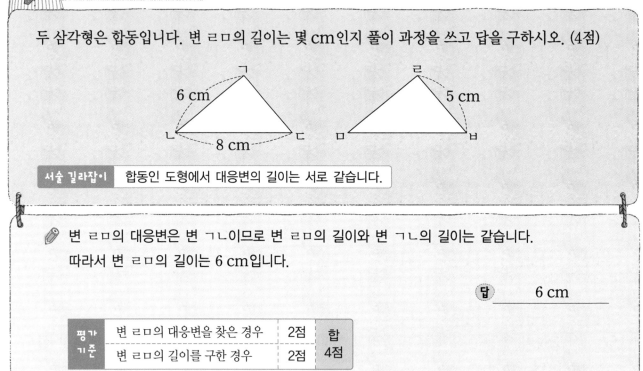

**서술 길라잡이** 합동인 도형에서 대응변의 길이는 서로 같습니다.

✏ 변 ㄹㅁ의 대응변은 변 ㄱㄴ이므로 변 ㄹㅁ의 길이와 변 ㄱㄴ의 길이는 같습니다.

따라서 변 ㄹㅁ의 길이는 6 cm입니다.

**답**  _____6 cm_____

| 평가<br>기준 | 변 ㄹㅁ의 대응변을 찾은 경우 | 2점 | 합<br>4점 |
|---|---|---|---|
| | 변 ㄹㅁ의 길이를 구한 경우 | 2점 | |

# 서술형 완성하기  빈칸을 채우며 서술형 풀이를 완성하고 답을 쓰시오.

**1** 두 삼각형은 합동입니다. 변 ㅁㅂ의 길이는 몇 cm인지 풀이 과정을 쓰고 답을 구하시오.

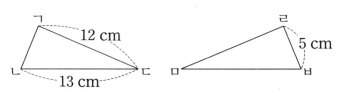

✏ 변 ㅁㅂ의 대응변은 변 [    ]이므로 변 ㅁㅂ의 길이와 변 [    ]의 길이는 같습니다.

따라서 변 ㅁㅂ의 길이는 [    ] cm입니다.

**답**  _____

**2** 두 사각형은 합동입니다. 변 ㅇㅅ의 길이는 몇 cm인지 풀이 과정을 쓰고 답을 구하시오.

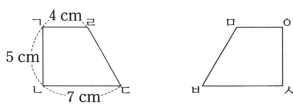

✏ 변 ㅇㅅ의 대응변은 변 [    ]이므로 변 ㅇㅅ의 길이와 변 [    ]의 길이는 같습니다.

따라서 변 ㅇㅅ의 길이는 [    ] cm입니다.

**답**  _____

**1** 두 삼각형은 합동입니다. 변 ㄱㄷ의 길이는 몇 cm인지 풀이 과정을 쓰고 답을 구하시오. (4점)

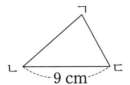 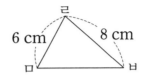

답 _____

**2** 두 사각형은 합동입니다. 변 ㄹㄷ의 길이는 몇 cm인지 풀이 과정을 쓰고 답을 구하시오. (4점)

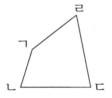 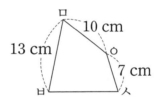

답 _____

**3** 두 삼각형은 합동입니다. 삼각형 ㄱㄴㄷ의 둘레는 몇 cm인지 풀이 과정을 쓰고 답을 구하시오. (5점)

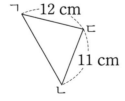 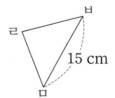

답 _____

## 서술형 탐구

두 삼각형은 합동입니다. 각 ㄱㄴㄷ의 크기는 몇 도인지 풀이 과정을 쓰고 답을 구하시오.

(4점)

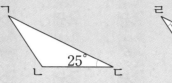

**서술 길라잡이**  합동인 도형에서 대응각의 크기는 서로 같습니다.

✏️ 각 ㄱㄴㄷ의 대응각은 각 ㄹㅁㅂ이므로 각 ㄱㄴㄷ의 크기와 각 ㄹㅁㅂ의 크기는 같습니다.
따라서 각 ㄱㄴㄷ의 크기는 125°입니다.

**답** _____125°_____

| 평가 기준 | 각 ㄱㄴㄷ의 대응각을 찾은 경우 | 2점 | 합 4점 |
|---|---|---|---|
| | 각 ㄱㄴㄷ의 크기를 구한 경우 | 2점 | |

## 서술형 완성하기

빈칸을 채우며 서술형 풀이를 완성하고 답을 쓰시오.

**1** 두 삼각형은 합동입니다. 각 ㅂㄹㅁ의 크기는 몇 도인지 풀이 과정을 쓰고 답을 구하시오.

✏️ 각 ㅂㄹㅁ의 대응각은 각 ☐이므로 각 ㅂㄹㅁ의 크기와 각 ☐의 크기는 같습니다.
따라서 각 ㅂㄹㅁ의 크기는 ☐°입니다.          **답** _____

**2** 두 사각형은 합동입니다. 각 ㅇㅅㅂ의 크기는 몇 도인지 풀이 과정을 쓰고 답을 구하시오.

✏️ 각 ㅇㅅㅂ의 대응각은 각 ☐이므로 각 ㅇㅅㅂ의 크기와 각 ☐의 크기는 같습니다.
따라서 각 ㅇㅅㅂ의 크기는 ☐°입니다.          **답** _____

**1** 두 삼각형은 합동입니다. 각 ㄱㄷㄴ의 크기는 몇 도인지 풀이 과정을 쓰고 답을 구하시오. (4점)

답 _____

**2** 두 사각형은 합동입니다. 각 ㅁㅇㅅ의 크기는 몇 도인지 풀이 과정을 쓰고 답을 구하시오. (4점)

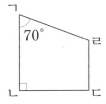 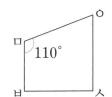

답 _____

**3** 두 삼각형은 합동입니다. 각 ㄹㅁㅂ의 크기는 몇 도인지 풀이 과정을 쓰고 답을 구하시오. (5점)

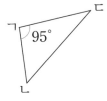 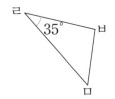

답 _____

## 서술형 탐구

가와 나 중 선대칭도형은 어느 것인지 풀이 과정을 쓰고 답을 구하시오. (4점)

가       나

**서술 길라잡이**   한 직선을 따라 접어서 완전히 겹쳐지는 도형을 선대칭도형이라고 합니다.

✎ 선대칭도형은 대칭축을 따라 접었을 때 완전히 겹쳐집니다.

따라서 대칭축을 그릴 수 있는 도형은 가이므로 선대칭도형은 가입니다.

**답**    가

| 평가<br>기준 | 선대칭도형의 뜻을 알고 있는 경우 | 2점 | 합<br>4점 |
|---|---|---|---|
| | 선대칭도형을 바르게 찾은 경우 | 2점 | |

## 서술형 완성하기   빈칸을 채우며 서술형 풀이를 완성하고 답을 쓰시오.

**1** 가와 나 중 선대칭도형은 어느 것인지 풀이 과정을 쓰고 답을 구하시오.

가       나

✎ 선대칭도형은 [    ]을 따라 접었을 때 완전히 겹쳐집니다.

따라서 대칭축을 그릴 수 있는 도형은 [ ]이므로 선대칭도형은 [ ]입니다.

**답** _____

**2** 점대칭도형인 글자는 모두 몇 개인지 풀이 과정을 쓰고 답을 구하시오.

**N**   **P**   **X**   **B**

✎ 점대칭도형은 어떤 점을 중심으로 [  ]° 돌리면 처음 도형과 완전히 겹쳐집니다.

따라서 점대칭도형인 글자는 [ ], [ ]이므로 모두 [ ]개입니다.

**답** _____

**1** 선대칭도형인 글자는 모두 몇 개인지 풀이 과정을 쓰고 답을 구하시오. (4점)

| A | C | F | L |

답 _____

**2** 점대칭도형인 글자는 모두 몇 개인지 풀이 과정을 쓰고 답을 구하시오. (4점)

| ㄹ | ㅂ | ㅇ |

답 _____

**3** 선대칭도형이면서 점대칭도형인 것은 어느 것인지 풀이 과정을 쓰고 답을 구하시오. (5점)

가          나          다

답 _____

## 서술형 탐구

오른쪽은 선대칭도형입니다. 대칭축은 모두 몇 개인지 풀이 과정을 쓰고 답을 구하시오. (4점)

> **서술 길라잡이** | 도형을 완전히 겹치도록 접었을 때, 접은 선의 개수를 세어 봅니다.

🖉 도형을 완전히 겹치도록 접었을 때, 접은 선을 모두 그려 보면 다음과 같습니다.

따라서 대칭축은 모두 4개입니다.

답 _____4개_____

| 평가<br>기준 | 대칭축을 모두 바르게 그린 경우 | 2점 | 합<br>4점 |
|---|---|---|---|
| | 답을 바르게 구한 경우 | 2점 | |

## 서술형 완성하기

빈칸을 채우며 서술형 풀이를 완성하고 답을 쓰시오.

**1** 오른쪽은 선대칭도형입니다. 대칭축은 모두 몇 개인지 풀이 과정을 쓰고 답을 구하시오.

🖉 도형을 완전히 겹치도록 접었을 때, 접은 선을 모두 그려 보면 다음과 같습니다.

따라서 대칭축은 모두 ☐개입니다.

답 _____

**2** 대칭축이 가장 많은 선대칭도형은 어느 것인지 풀이 과정을 쓰고 답을 구하시오.

ㄱ  ㄴ  ㄷ

🖉 도형을 완전히 겹치도록 접었을 때, 접은 선을 알아보면 ㉠은 1개, ㉡은 ☐개, ㉢은 ☐개입니다. 따라서 대칭축이 가장 많은 도형은 ☐입니다.

답 _____

**1** 오른쪽은 선대칭도형입니다. 대칭축은 모두 몇 개인지 풀이 과정을 쓰고 답을 구하시오. (4점)

답 _____

**2** 오른쪽은 선대칭도형입니다. 대칭축은 모두 몇 개인지 풀이 과정을 쓰고 답을 구하시오. (4점)

답 _____

**3** 대칭축이 가장 많은 선대칭도형인 글자를 찾아보려고 합니다. 풀이 과정을 쓰고 답을 구하시오. (4점)

답 _____

오른쪽 도형은 선분 ㅁㅂ을 대칭축으로 하는 선대칭도형입니다. 변 ㄱㄹ의 길이는 몇 cm인지 풀이 과정을 쓰고 답을 구하시오. (4점)

**서술 길라잡이** 선대칭도형에서 대응변의 길이는 같습니다.

✎ 변 ㄱㄹ의 대응변은 변 ㄱㄴ이므로 변 ㄱㄹ의 길이는 변 ㄱㄴ의 길이와 같습니다.

따라서 변 ㄱㄹ의 길이는 5 cm입니다.

답   5 cm

| 평가 기준 | 변 ㄱㄹ의 대응변을 바르게 찾은 경우 | 2점 | 합 4점 |
|---|---|---|---|
| | 답을 바르게 구한 경우 | 2점 | |

## 서술형 완성하기

빈칸을 채우며 서술형 풀이를 완성하고 답을 쓰시오.

**1** 오른쪽 도형은 선분 ㅈㅊ을 대칭축으로 하는 선대칭도형입니다. 변 ㄴㄷ의 길이는 몇 cm인지 풀이 과정을 쓰고 답을 구하시오.

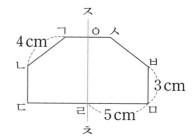

✎ 선대칭도형에서 대응변의 길이는 같습니다.

변 ㄴㄷ의 대응변은 변 [   ]이므로 변 ㄴㄷ의 길이는

변 [   ]의 길이와 같습니다.

따라서 변 ㄴㄷ의 길이는 [   ] cm입니다.

답

**2** 오른쪽 도형은 점 ㅇ을 대칭의 중심으로 하는 점대칭도형입니다. 각 ㄱㄹㄷ의 크기는 몇 도인지 풀이 과정을 쓰고 답을 구하시오.

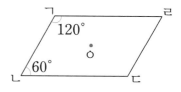

✎ 점대칭도형에서 대응각의 크기는 같습니다.

각 ㄱㄹㄷ의 대응각은 각 [   ]이므로 각 ㄱㄹㄷ의 크기는 각 [   ]의 크기와 같습

니다. 따라서 각 ㄱㄹㄷ의 크기는 [   ]°입니다.

답

**1** 오른쪽 도형은 점 ㅇ을 대칭의 중심으로 하는 점대칭도형 입니다. 변 ㄷㄹ의 길이는 몇 cm인지 풀이 과정을 쓰고 답을 구하시오. (4점)

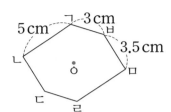

답 _____

**2** 오른쪽 도형은 선분 ㅁㅂ을 대칭축으로 하는 선대칭도형입 니다. 각 ㄴㄱㄹ의 크기는 몇 도인지 풀이 과정을 쓰고 답 을 구하시오. (4점)

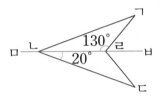

답 _____

**3** 오른쪽 도형은 점 ㅇ을 대칭의 중심으로 하는 점대칭도형 입니다. 각 ㄱㄴㄷ의 크기는 몇 도인지 풀이 과정을 쓰고 답을 구하시오. (4점)

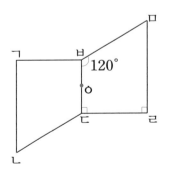

답 _____

1881은 점대칭이 되는 수입니다. 다음 숫자를 사용하여 1881보다 큰 점대칭이 되는 네 자리 수를 만들려고 합니다. 만들 수 있는 수는 모두 몇 개인지 풀이 과정을 쓰고 답을 구하시오. (단, 같은 숫자를 여러 번 사용할 수 있습니다.) (6점)

$$\boxed{0 \quad 1 \quad 3 \quad 2 \quad 8}$$

**서술 길라잡이** | 만든 네 자리 수가 점대칭이 되려면 수를 180° 돌렸을 때 처음 수와 같아져야 합니다.

✏️ 숫자를 180° 돌렸을 때 처음 숫자와 완전히 겹쳐지는 것은 0, 1, 8이므로 0, 1, 8로 점대칭이 되는 수를 만들어 봅니다.

1881보다 큰 수가 되려면 천의 자리 숫자는 8이 되어야 합니다.

따라서 1881보다 큰 네 자리 수 중 점대칭이 되는 수는 8008, 8118, 8888이므로 모두 3개입니다.

**답** ___3개___

| 평가 기준 | 점대칭이 되는 수를 만들 수 있는 숫자를 찾은 경우 | 2점 | 합 6점 |
|---|---|---|---|
| | 천의 자리에 올 숫자를 아는 경우 | 2점 | |
| | 답을 바르게 구한 경우 | 2점 | |

## 서술형 완성하기    빈칸을 채우며 서술형 풀이를 완성하고 답을 쓰시오.

**1** 6119는 점대칭이 되는 수입니다. 다음 숫자를 사용하여 6119보다 작은 점대칭이 되는 네 자리 수를 만들려고 합니다. 만들 수 있는 수는 모두 몇 개인지 풀이 과정을 쓰고 답을 구하시오. (단, 같은 숫자를 여러 번 사용할 수 있습니다.)

$$\boxed{1 \quad 3 \quad 6 \quad 7 \quad 9}$$

✏️ 숫자를 180° 돌렸을 때 처음 숫자와 완전히 겹쳐지는 것은 □이고, 6을 180° 돌렸을 때 나오는 숫자가 9이므로 □, □, □로 점대칭이 되는 수를 만들어 봅니다.

6119보다 작은 수가 되려면 천의 자리 숫자는 □이 되어야 합니다.

따라서 6119보다 작은 네 자리 수 중 점대칭이 되는 수는 □, □, □이므로 모두 □개입니다.

**답** _____

**1** 8968은 점대칭이 되는 수입니다. 다음 숫자를 사용하여 8968보다 큰 점대칭이 되는 네 자리 수를 만들려고 합니다. 만들 수 있는 수는 모두 몇 개인지 풀이 과정을 쓰고 답을 구하시오. (단, 같은 숫자를 여러 번 사용할 수 있습니다.) (6점)

| 0 2 8 6 9 |
|:---:|

답 _____

**2** 9006은 점대칭이 되는 수입니다. 다음 숫자를 사용하여 9006보다 작은 점대칭이 되는 네 자리 수를 만들려고 합니다. 만들 수 있는 수는 모두 몇 개인지 풀이 과정을 쓰고 답을 구하시오. (단, 같은 숫자를 여러 번 사용할 수 있습니다.) (6점)

| 0 1 7 6 9 |
|:---:|

답 _____

**1** 두 도형이 합동이 되도록 만들려고 합니다. 오른쪽 도형을 어떻게 하면 되는지 설명하시오. (4점)

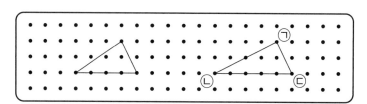

**2** 두 삼각형은 합동입니다. 삼각형 ㄱㄴㄷ의 둘레는 몇 cm인지 풀이 과정을 쓰고 답을 구하시오. (5점)

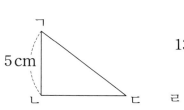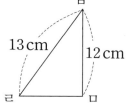

답 _____

**3** 두 사각형은 합동입니다. 각 ㄹㄷㄴ의 크기는 몇 도인지 풀이 과정을 쓰고 답을 구하시오. (5점)

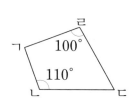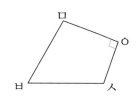

답 _____

④ 선대칭도형이면서 점대칭도형인 글자는 모두 몇 개인지 풀이 과정을 쓰고 답을 구하시오. (5점)

F G H I M X Y

답 _____

⑤ 대칭축이 가장 많은 선대칭도형인 글자를 찾아보려고 합니다. 풀이 과정을 쓰고 답을 구하시오. (4점)

ㅁ ㅅ ㅎ

답 _____

⑥ 오른쪽 삼각형 ㄱㄴㄷ은 선분 ㄹㅁ을 대칭축으로 하는 선대칭도형이고, 둘레는 42 cm입니다. 변 ㄴㄷ의 길이는 몇 cm인지 풀이 과정을 쓰고 답을 구하시오. (4점)

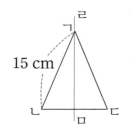

15 cm

답 _____

논리적 사고력을 키워주는

# 숫자 퍼즐 스도쿠

▣ 게임 방법

1. 모든 세로줄에는 1부터 9까지의 숫자가 겹치지 않게 한 번씩만 들어갑니다.

2. 모든 가로줄에는 1부터 9까지의 숫자가 겹치지 않게 한 번씩만 들어갑니다.

3. 가로, 세로 3×3으로 이루어진 굵은 테두리의 작은 사각형 안에도 1부터 9까지의 숫자가 겹치지 않게 한 번씩만 들어갑니다.

|  | 4 | 8 |  |  |  |  | 3 |  |
|---|---|---|---|---|---|---|---|---|
| 2 |  |  | 3 |  | 5 |  |  | 6 |
|  | 1 |  |  |  |  | 5 | 9 |  |
|  | 2 |  | 8 |  | 7 | 4 | 1 |  |
| 1 |  |  | 9 |  | 2 |  | 7 | 3 |
|  |  |  |  | 4 |  | 9 |  |  |
|  |  | 1 |  | 3 |  |  |  |  |
| 8 | 5 |  | 4 |  | 9 |  |  | 1 |
|  | 3 | 9 | 2 |  | 6 |  | 5 |  |

# 4 소수의 곱셈

0.8×0.9＝0.72의 계산을 2가지 방법으로 설명하시오. (4점)

**서술 길라잡이** 분수의 곱셈으로 고쳐서 계산하거나 자연수의 곱셈을 이용하여 계산합니다.

[방법 1] 분수의 곱셈으로 고쳐서 계산하기

$$0.8 \times 0.9 = \frac{8}{10} \times \frac{9}{10} = \frac{72}{100} = 0.72$$

[방법 2] 자연수의 곱셈을 이용하여 계산하기

8과 9의 곱은 72입니다. 그런데 0.8은 8의 $\frac{1}{10}$배이고, 0.9는 9의 $\frac{1}{10}$배이므로

0.8×0.9는 72의 $\frac{1}{100}$배인 0.72입니다.

**평가기준** 1가지 방법으로 설명할 때마다 2점씩 배점하여 총 4점이 되도록 평가합니다. | 4점

---

## 서술형 완성하기 빈칸을 채우며 서술형 풀이를 완성하시오.

**1** 0.4×0.12＝0.048의 계산을 2가지 방법으로 설명하시오.

[방법 1] 분수의 곱셈으로 고쳐서 계산하기

$$0.4 \times 0.12 = \frac{\boxed{\phantom{0}}}{10} \times \frac{\boxed{\phantom{0}}}{100} = \frac{\boxed{\phantom{0}}}{1000} = \boxed{\phantom{0}}$$

[방법 2] 자연수의 곱셈을 이용하여 계산하기

4와 12의 곱은 $\boxed{\phantom{0}}$ 입니다. 그런데 0.4는 4의 $\boxed{\phantom{0}}$ 배이고, 0.12는 12의 $\boxed{\phantom{0}}$

배이므로 0.4×0.12는 48의 $\boxed{\phantom{0}}$ 배인 0.048입니다.

**2** 1.2×1.1＝1.32의 계산을 2가지 방법으로 설명하시오.

[방법 1] 분수의 곱셈으로 고쳐서 계산하기

$$1.2 \times 1.1 = \frac{\boxed{\phantom{0}}}{10} \times \frac{\boxed{\phantom{0}}}{10} = \frac{\boxed{\phantom{0}}}{100} = \boxed{\phantom{0}}$$

[방법 2] 자연수의 곱셈을 이용하여 계산하기

12와 11의 곱은 $\boxed{\phantom{0}}$ 입니다. 그런데 1.2는 12의 $\boxed{\phantom{0}}$ 배이고, 1.1은 11의

$\boxed{\phantom{0}}$ 배이므로 1.2×1.1은 132의 $\boxed{\phantom{0}}$ 배인 1.32입니다.

**1** 0.7×1.2＝0.84의 계산을 2가지 방법으로 설명하시오. (4점)

　[방법 1]


　[방법 2]


**2** 1.5×1.3＝1.95의 계산을 2가지 방법으로 설명하시오. (4점)

　[방법 1]


　[방법 2]


**3** 1.82×0.4＝0.728의 계산을 2가지 방법으로 설명하시오. (4점)

　[방법 1]


　[방법 2]

가영이는 매일 아침마다 0.6 km씩 달리기를 합니다. 가영이가 8일 동안 달린 거리는 모두 몇 km인지 풀이 과정을 쓰고 답을 구하시오. (4점)

**서술 길라잡이** 가영이가 하루에 달린 거리에 달린 날수를 곱하여 계산합니다.

✏️ (가영이가 달린 거리)＝(하루에 달린 거리)×(달린 날수)이므로 0.6×8＝4.8(km)입니다.
따라서 가영이가 8일 동안 달린 거리는 모두 4.8 km입니다.

답　　4.8 km

| 평가<br>기준 | 문제에 알맞은 식을 바르게 세운 경우 | 2점 | 합<br>4점 |
|---|---|---|---|
| | 답을 바르게 구한 경우 | 2점 | |

## 서술형 완성하기

빈칸을 채우며 서술형 풀이를 완성하고 답을 쓰시오.

**1** 효근이는 우유를 0.65 L 마셨고, 한솔이는 효근이가 마신 우유의 0.4배를 마셨습니다. 한솔이가 마신 우유의 양은 몇 L인지 풀이 과정을 쓰고 답을 구하시오.

✏️ (한솔이가 마신 우유의 양)＝(효근이가 마신 우유의 양)× ☐ 이므로

☐ × ☐ ＝ ☐ (L)입니다.

따라서 한솔이가 마신 우유의 양은 ☐ L입니다.

답　　　　　　

**2** 1 L의 휘발유로 18 km를 가는 자동차가 있습니다. 이 자동차는 2.5 L의 휘발유로 몇 km를 갈 수 있는지 풀이 과정을 쓰고 답을 구하시오.

✏️ (자동차가 갈 수 있는 거리)＝(휘발유 1 L로 갈 수 있는 거리)×(휘발유의 양)이므로

☐ × ☐ ＝ ☐ (km)입니다.

따라서 2.5 L의 휘발유로 갈 수 있는 거리는 ☐ km입니다.

답

**1** 일정한 빠르기로 한 시간에 120.4 L씩 나오는 수도가 있습니다. 이 수도로 1.5시간 동안 물을 받는다면 모두 몇 L를 받을 수 있는지 풀이 과정을 쓰고 답을 구하시오. (4점)

답

**2** 석기는 헌 종이를 0.9 kg 모았고, 영수는 석기가 모은 헌 종이의 1.22배만큼 모았습니다. 영수가 모은 헌 종이의 무게는 몇 kg인지 풀이 과정을 쓰고 답을 구하시오. (4점)

답

**3** 종이를 1초에 36.3 cm²씩 파쇄하는 파쇄기가 있습니다. 이 파쇄기로 1분 동안 몇 cm²를 파쇄할 수 있는지 풀이 과정을 쓰고 답을 구하시오. (4점)

답

오른쪽 평행사변형의 넓이는 몇 cm²인지 풀이 과정을 쓰고 답을 구하시오. (4점)

4.25 cm

3.8 cm

**서술 길라잡이** (평행사변형의 넓이)=(밑변)×(높이)

✎ (평행사변형의 넓이)=(밑변)×(높이)이므로 3.8×4.25=16.15(cm²)입니다.
따라서 평행사변형의 넓이는 16.15 cm²입니다.

답  16.15 cm²

| 평가기준 | 평행사변형의 넓이를 구하는 식을 바르게 세운 경우 | 2점 | 합 |
|---|---|---|---|
| | 답을 바르게 구한 경우 | 2점 | 4점 |

## 서술형 완성하기   빈칸을 채우며 서술형 풀이를 완성하고 답을 쓰시오.

**1** 오른쪽 직사각형의 넓이는 몇 cm²인지 풀이 과정을 쓰고 답을 구하시오.

1.5 cm

2.94 cm

✎ (직사각형의 넓이)=(가로)×(세로)이므로 □ × □ = □ (cm²)입니다.
따라서 직사각형의 넓이는 □ cm²입니다.

답 _____

**2** 벽면에 한 변이 4.6 cm인 정사각형 모양의 사진이 겹치지 않게 25장 붙어 있습니다. 사진이 붙어 있는 부분의 넓이는 몇 cm²인지 풀이 과정을 쓰고 답을 구하시오.

✎ (사진 한 장의 넓이)=□ × □ = □ (cm²)이므로
사진이 붙어 있는 부분의 넓이는 □ × 25 = □ (cm²)입니다.

답 _____

**1** 오른쪽 삼각형의 넓이는 몇 cm²인지 풀이 과정을 쓰고 답을 구하시오. (4점)

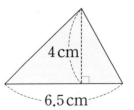

답 _____

**2** 가로가 3.2 m이고 세로가 2.6 m인 직사각형 모양의 꽃밭이 있습니다. 이 꽃밭의 0.3만큼 채송화를 심었다면, 채송화를 심은 부분의 넓이는 몇 m²인지 풀이 과정을 쓰고 답을 구하시오. (4점)

답 _____

**3** 오른쪽 사각형 ㄱㄴㄷㄹ은 평행사변형입니다. 색칠한 부분의 넓이는 몇 cm²인지 풀이 과정을 쓰고 답을 구하시오. (5점)

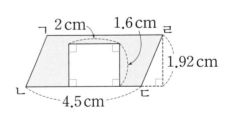

답 _____

## 서술형 탐구

$127 \times 21 = 2667$입니다. $12.7 \times 2.1$의 값을 어림하여 결과 값에 소수점을 나타내고, 그 이유를 써 보시오. (5점)

$$12.7 \times 2.1 = 2\square6\square6\square7$$

**서술 길라잡이** 수를 간단한 자연수로 반올림하여 계산한 후 어림한 결과와 계산한 결과의 크기를 비교하여 소수점의 위치를 알아봅니다.

🖉 12.7과 2.1을 반올림하여 자연수로 나타내면 각각 13과 2입니다.

따라서 12.7 × 2.1은 13의 2배 정도로 어림할 수 있으므로 13 × 2 = 26보다 조금 큰 값이 됩니다.

➡ 12.7 × 2.1 = 26.67

| 평가 기준 | 알맞은 위치에 소수점을 찍은 경우 | 2점 | 합 5점 |
|---|---|---|---|
| | 그 이유를 바르게 설명한 경우 | 3점 | |

## 서술형 완성하기  빈칸을 채우며 서술형 풀이를 완성하시오.

**1** $136 \times 32 = 4352$입니다. $13.6 \times 3.2$의 값을 어림하여 결과 값에 소수점을 나타내고, 그 이유를 써 보시오.

$$13.6 \times 3.2 = 4\square3\square5\square2$$

🖉 13.6과 3.2를 반올림하여 자연수로 나타내면 각각 14와 □입니다.

따라서 13.6 × 3.2는 14의 □배 정도로 어림할 수 있으므로 14 × □ = □보다 조금 큰 값이 됩니다.

➡ 13.6 × 3.2 = □

**2** $427 \times 25 = 10675$입니다. $4.27 \times 2.5$의 값을 어림하여 결과 값에 소수점을 나타내고, 그 이유를 써 보시오.

$$4.27 \times 2.5 = 1\square0\square6\square7\square5$$

🖉 4.27과 2.5를 반올림하여 자연수로 나타내면 각각 □와 3입니다.

따라서 4.27 × 2.5는 □의 3배 정도로 어림할 수 있으므로 □ × 3 = □보다 조금 작은 값이 됩니다.

➡ 4.27 × 2.5 = □

**1** $135 \times 51 = 6885$입니다. $13.5 \times 5.1$의 값을 어림하여 결과 값에 소수점을 나타내고, 그 이유를 써 보시오. (5점)

$$13.5 \times 5.1 = 6\square8\square8\square5$$

**2** $48 \times 238 = 11424$입니다. $4.8 \times 2.38$의 값을 어림하여 결과 값에 소수점을 나타내고, 그 이유를 써 보시오. (5점)

$$4.8 \times 2.38 = 1\square1\square4\square2\square4$$

**3** $89 \times 98 = 8722$입니다. $8.9 \times 9.8$의 값을 어림하여 결과 값에 소수점을 나타내고, 그 이유를 써 보시오. (5점)

$$8.9 \times 9.8 = 8\square7\square2\square2$$

□ 안에 알맞은 수를 구하려고 합니다. 풀이 과정을 쓰고 답을 구하시오. (4점)

$$820 \times \square = 8.2$$

**서술 길라잡이** 자연수에 0.1, 0.01, 0.001을 곱하면 소수점은 각각 왼쪽으로 한 자리, 두 자리, 세 자리 옮겨집니다.

✏️ 8.2는 820에서 소수점을 왼쪽으로 두 자리 옮긴 수입니다.

따라서 □ 안에 알맞은 수는 0.01입니다.

답 _____ 0.01 _____

| 평가 기준 | 곱해지는 수와 곱의 소수점의 위치를 바르게 비교한 경우 | 2점 | 합 4점 |
|---|---|---|---|
| | 답을 바르게 구한 경우 | 2점 | |

### 서술형 완성하기

빈칸을 채우며 서술형 풀이를 완성하고 답을 쓰시오.

**1** □ 안에 알맞은 수를 구하려고 합니다. 풀이 과정을 쓰고 답을 구하시오.

$$536 \times \square = 0.536$$

✏️ 0.536은 536에서 소수점을 [    ]으로 [    ] 자리 옮긴 수입니다.

따라서 □ 안에 알맞은 수는 [    ]입니다.

답 _____

**2** $5 \times 23 = 115$를 이용하여 □ 안에 알맞은 수를 구하려고 합니다. 풀이 과정을 쓰고 답을 구하시오.

$$0.05 \times 23 = \square$$

✏️ 곱의 소수점의 위치는 곱해지는 수의 소수점의 위치와 같습니다.

0.05는 소수 [    ] 자리 수이므로 0.05×23도 소수 [    ] 자리 수입니다.

따라서 □ 안에 알맞은 수는 [    ]입니다.

답 _____

**1** □ 안에 알맞은 수를 구하려고 합니다. 풀이 과정을 쓰고 답을 구하시오. (4점)

$$729 \times \square = 72.9$$

답 _____

**2** □ 안에 알맞은 수를 구하려고 합니다. 풀이 과정을 쓰고 답을 구하시오. (4점)

$$7.229 \times \square = 722.9$$

답 _____

**3** $32 \times 43 = 1376$을 이용하여 □ 안에 알맞은 수를 구하려고 합니다. 풀이 과정을 쓰고 답을 구하시오. (4점)

$$32 \times 0.043 = \square$$

답 _____

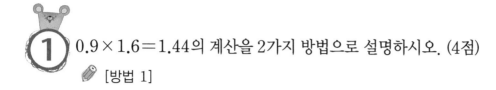

**1** 0.9 × 1.6 = 1.44의 계산을 2가지 방법으로 설명하시오. (4점)

[방법 1]

[방법 2]

**2** 일정한 빠르기로 한 시간에 80.2 km를 달리는 기차가 있습니다. 이 기차는 2시간 45분 동안 몇 km를 갈 수 있는지 풀이 과정을 쓰고 답을 구하시오. (5점)

답 _____

**3** 1분에 5.28 L의 물이 나오는 수도꼭지가 있습니다. 이 수도꼭지로 4분 30초 동안 받은 물의 양은 몇 L인지 풀이 과정을 쓰고 답을 구하시오. (5점)

답 _____

**4** 오른쪽 사다리꼴의 넓이는 몇 cm²인지 풀이 과정을 쓰고 답을 구하시오. (4점)

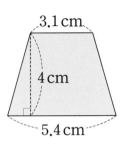

3.1 cm
4 cm
5.4 cm

답 _____

 **5** 487×28＝13636입니다. 4.87×2.8의 값을 어림하여 결과 값에 소수점을 나타내고, 그 이유를 써 보시오. (5점)

$$4.87 \times 2.8 = 1 \square 3 \square 6 \square 3 \square 6$$

 **6** ㉠과 ㉡에 알맞은 수는 각각 얼마인지 풀이 과정을 쓰고 답을 구하시오. (4점)

$$2.8 \times ㉠ = 280 \qquad 56 \times ㉡ = 5.6$$

답 _____

논리적 사고력을 키워주는
# 숫자 퍼즐 스도쿠

■ 게임 방법

1. 모든 세로줄에는 1부터 9까지의 숫자가 겹치지 않게 한 번씩만 들어갑니다.
2. 모든 가로줄에는 1부터 9까지의 숫자가 겹치지 않게 한 번씩만 들어갑니다.
3. 가로, 세로 3×3으로 이루어진 굵은 테두리의 작은 사각형 안에도 1부터 9까지의 숫자가 겹치지 않게 한 번씩만 들어갑니다.

| 4 |   | 5 | 3 | 1 | 8 |   |   |   |
|---|---|---|---|---|---|---|---|---|
| 7 | 6 |   |   |   |   |   |   | 2 |
| 8 | 9 |   | 5 |   | 6 |   |   |   |
|   |   | 7 | 5 |   |   |   | 8 | 9 |
|   | 4 |   | 8 |   | 7 |   | 6 |   |
| 9 | 5 |   |   | 6 | 2 |   |   |   |
|   | 4 |   | 1 |   |   |   | 3 | 6 |
| 2 |   |   |   |   |   |   | 4 | 5 |
|   |   | 6 | 4 | 7 |   | 9 |   | 8 |

# 5

# 직육면체

직육면체가 <u>아닌</u> 것을 찾아 그 이유를 설명하시오. (4점)

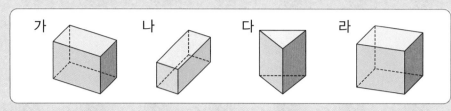

**서술 길라잡이** 직육면체는 직사각형 6개로 둘러싸인 도형입니다.

✏️ 가, 나, 라는 각각 직사각형 6개로 둘러싸여 있고, 다는 삼각형 2개와 사각형 3개로 둘러싸여 있습니다. 따라서 직육면체가 아닌 것은 다입니다.

| 평가<br>기준 | 직육면체가 아닌 것을 찾은 경우 | 2점 | 합<br>4점 |
|---|---|---|---|
| | 직육면체가 아닌 이유를 설명한 경우 | 2점 | |

## 서술형 완성하기 빈칸을 채우며 서술형 풀이를 완성하시오.

**1** 직육면체가 <u>아닌</u> 것을 찾아 그 이유를 설명하시오.

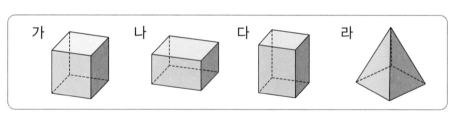

✏️ 가, ☐, ☐는 각각 직사각형 ☐개로 둘러싸여 있고, ☐는 사각형 1개와 삼각형 ☐ 개로 둘러싸여 있습니다. 따라서 직육면체가 아닌 것은 ☐입니다.

**2** 정육면체가 <u>아닌</u> 것을 찾아 그 이유를 설명하시오.

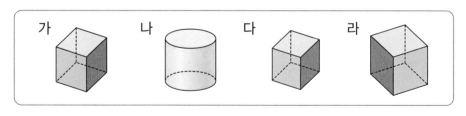

✏️ 가, ☐, ☐는 각각 정사각형 ☐개로 둘러싸여 있고, ☐는 원 ☐개와 굽은 면으로 둘러싸여 있습니다. 따라서 정육면체가 아닌 것은 ☐입니다.

**1** 직육면체가 <u>아닌</u> 것을 찾아 그 이유를 설명하시오. (4점)

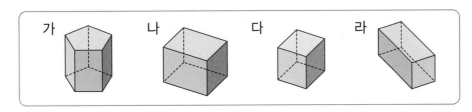

**2** 직육면체가 <u>아닌</u> 것을 찾아 그 이유를 설명하시오. (4점)

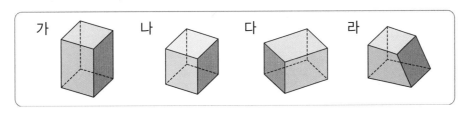

**3** 정육면체가 <u>아닌</u> 것을 찾아 그 이유를 설명하시오. (4점)

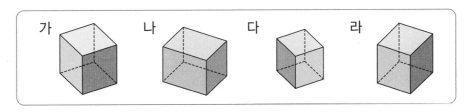

오른쪽 직육면체를 보고 면 ㄱㄴㄷㄹ과 평행한 면은 어느 것인지 설명하시오. (4점)

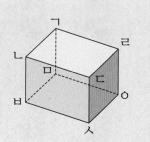

> 서술 길라잡이 | 직육면체에서 계속 늘여도 만나지 않는 두 면을 서로 평행하다고 합니다.

✎ 면 ㄱㄴㄷㄹ과 평행한 면은 면 ㄱㄴㄷㄹ과 마주 보는 면입니다.

따라서 면 ㄱㄴㄷㄹ과 평행한 면은 면 ㅁㅂㅅㅇ입니다.

답    면 ㅁㅂㅅㅇ

| 평가기준 | 마주 보는 두 면 사이의 관계를 아는 경우 | 2점 | 합 |
|---|---|---|---|
| | 면 ㄱㄴㄷㄹ과 평행한 면을 찾은 경우 | 2점 | 4점 |

# 서술형 완성하기   빈칸을 채우며 서술형 풀이를 완성하고 답을 쓰시오.

1 오른쪽 직육면체를 보고 면 ㄱㄴㅂㅁ과 평행한 면은 어느 것인지 설명하시오.

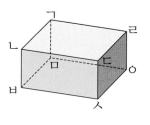

✎ 면 ㄱㄴㅂㅁ과 평행한 면은 면 ㄱㄴㅂㅁ과 마주 보는 면입니다.

따라서 면 ㄱㄴㅂㅁ과 평행한 면은 면 ☐ 입니다.

답 _____

2 오른쪽 직육면체에서 길이가 9 cm인 모서리는 모두 몇 개인지 설명하시오.

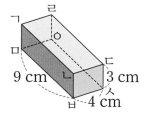

✎ 직육면체에서 서로 평행한 모서리의 길이는 같으므로 길이가 9 cm인 모서리는 모서리 ㄱㄴ, 모서리 ㅁㅂ, 모서리 ☐, 모서리 ☐ 입니다.

따라서 길이가 9 cm인 모서리는 모두 ☐ 개입니다.

답 _____

**1** 오른쪽 직육면체를 보고 면 ㄴㅂㅅㄷ과 평행한 면은 어느 것인지 설명하시오. (4점)

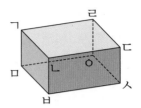

답 _____

**2** 오른쪽 직육면체에서 면 ㄷㅅㅇㄹ과 수직이 아닌 면은 어느 것인지 설명하시오. (4점)

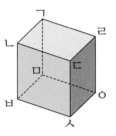

답 _____

**3** 오른쪽 직육면체에서 길이가 5 cm인 모서리는 모두 몇 개인지 설명하시오. (4점)

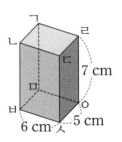

답 _____

오른쪽 직육면체를 보고 면 ㄱㄴㄷㄹ과 수직인 면은 어느 것인지 설명하시오. (4점)

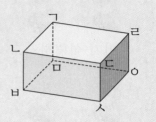

**서술 길라잡이** 직육면체에서 한 면과 수직인 면은 모두 4개입니다.

✎ 면 ㄱㄴㄷㄹ과 수직인 면은 면 ㄱㄴㄷㄹ과 만나는 면입니다.

따라서 면 ㄱㄴㄷㄹ과 수직인 면은 면 ㄴㅂㅅㄷ, 면 ㄷㅅㅇㄹ, 면 ㄱㅁㅇㄹ, 면 ㄴㅂㅁㄱ입니다.

**답** _____ 면 ㄴㅂㅅㄷ, 면 ㄷㅅㅇㄹ, 면 ㄱㅁㅇㄹ, 면 ㄴㅂㅁㄱ

| 평가기준 | 만나는 두 면 사이의 관계를 아는 경우 | 2점 | 합 4점 |
|---|---|---|---|
| | 면 ㄱㄴㄷㄹ과 수직인 면을 찾은 경우 | 2점 | |

## 서술형 완성하기    빈칸을 채우며 서술형 풀이를 완성하고 답을 쓰시오.

**1** 오른쪽 직육면체를 보고 면 ㄴㅂㅅㄷ과 수직인 면은 어느 것인지 설명하시오.

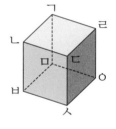

✎ 면 ㄴㅂㅅㄷ과 수직인 면은 면 ㄴㅂㅅㄷ과 만나는 면입니다.

따라서 면 ㄴㅂㅅㄷ과 수직인 면은 면 ㄱㄴㄷㄹ, 면 [　　　],

면 [　　　], 면 [　　　]입니다.

**답** _____

**2** 오른쪽 전개도를 이용하여 직육면체를 만들었을 때 면 나와 수직으로 만나는 면은 어느 것인지 설명하시오.

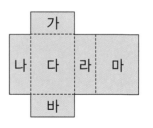

✎ 면 나와 평행한 면을 제외한 나머지 4개의 면이 면 나와 수직인 면입니다.

따라서 면 나와 평행한 면은 면 [　]이므로 면 나와 수직인 면은

면 [　], 면 [　], 면 [　], 면 [　]입니다.

**답** _____

**1** 오른쪽 직육면체를 보고 면 ㄱㅁㅇㄹ과 수직인 면은 어느 것인 지 설명하시오. (4점)

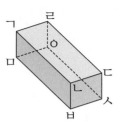

답 _____

**2** 오른쪽 직육면체에서 면 ㄷㅅㅇㄹ과 수직인 면은 어느 것인지 설명 하시오. (4점)

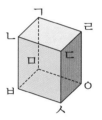

답 _____

**3** 오른쪽 전개도를 이용하여 정육면체를 만들었을 때 면 다 와 수직으로 만나는 면은 어느 것인지 설명하시오. (4점)

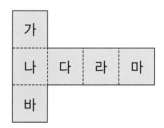

답 _____

오른쪽은 직육면체의 겨냥도를 잘못 그린 것입니다. 잘못 그린 이유를
설명하시오. (4점)

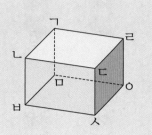

**서술 길라잡이** | 겨냥도에서 보이는 모서리는 실선으로 그리고, 보이지 않는 모서리는 점선으로 그립니다.

✎ 모서리 ㅁㅂ은 보이지 않는 모서리이므로 점선으로 그려야 하는데 실선으로 그렸습니다.

| 평가<br>기준 | 잘못 그린 부분을 찾은 경우 | 2점 | 합<br>4점 |
|---|---|---|---|
| | 잘못 그린 이유를 설명한 경우 | 2점 | |

# 서술형 완성하기  빈칸을 채우며 서술형 풀이를 완성하시오.

**1** 오른쪽은 직육면체의 겨냥도를 잘못 그린 것입니다. 잘못 그린
이유를 설명하시오.

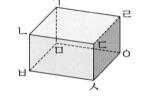

✎ 모서리 ☐ 은 ( 보이는 , 보이지 않는 ) 모서리이므로
( 실선 , 점선 )으로 그려야 하는데 ( 실선 , 점선 )으로 그렸습니다.

**2** 오른쪽은 직육면체의 겨냥도를 잘못 그린 것입니다. 어떻게 고쳐야
하는지 설명하시오.

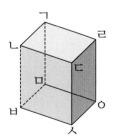

✎ 모서리 ☐ 은 보이는 모서리이고 모서리 ☐ 은 보이지 않는 모서
리입니다.
따라서 모서리 ☐ 을 실선으로 그리고, 모서리 ☐ 을 점선으로
그려야 합니다.

**1** 오른쪽은 직육면체의 겨냥도를 잘못 그린 것입니다. 잘못 그린 이유를 설명하시오. (4점)

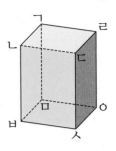

**2** 오른쪽은 직육면체의 겨냥도를 잘못 그린 것입니다. 어떻게 고쳐야 하는지 설명하시오. (4점)

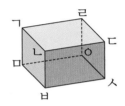

**3** 직육면체의 겨냥도를 잘못 그린 것입니다. 잘못 그린 이유를 설명하고, 바르게 그리시오. (5점)

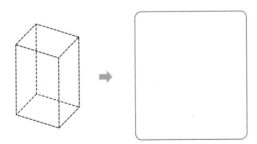

## 서술형 탐구

직육면체의 전개도로 알맞지 <u>않은</u> 것을 찾아 그 이유를 설명하시오. (4점)

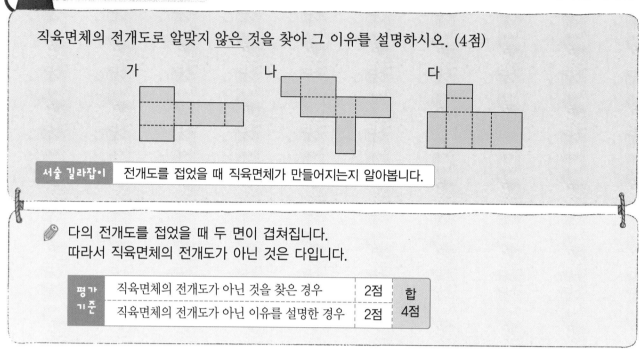

가　　나　　다

**서술 길라잡이**　전개도를 접었을 때 직육면체가 만들어지는지 알아봅니다.

✏️ 다의 전개도를 접었을 때 두 면이 겹쳐집니다.
따라서 직육면체의 전개도가 아닌 것은 다입니다.

| 평가<br>기준 | 직육면체의 전개도가 아닌 것을 찾은 경우 | 2점 | 합<br>4점 |
|---|---|---|---|
| | 직육면체의 전개도가 아닌 이유를 설명한 경우 | 2점 | |

## 서술형 완성하기　빈칸을 채우며 서술형 풀이를 완성하시오.

**1** 정육면체의 전개도로 알맞지 <u>않은</u> 것을 찾아 그 이유를 설명하시오.

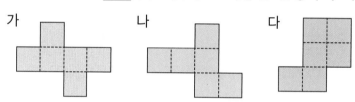

가　　나　　다

✏️ ☐의 전개도를 접었을 때 두 면이 겹쳐집니다.
따라서 정육면체의 전개도가 아닌 것은 ☐입니다.

**2** 직육면체의 전개도로 알맞지 <u>않은</u> 것을 찾아 그 이유를 설명하시오.

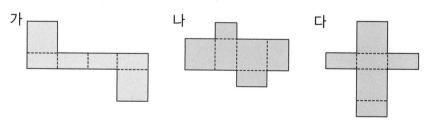

가　　나　　다

✏️ ☐의 전개도를 접었을 때 만나는 변의 길이가 다릅니다.
따라서 직육면체의 전개도가 아닌 것은 ☐입니다.

**1** 직육면체의 전개도로 알맞지 <u>않은</u> 것을 찾아 그 이유를 설명하시오. (4점)

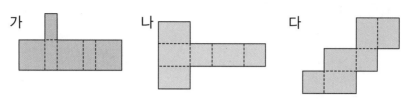

**2** 정육면체의 전개도로 알맞지 <u>않은</u> 것을 찾아 그 이유를 설명하시오. (4점)

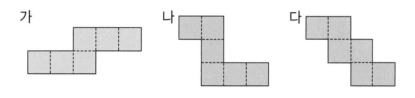

**3** 직육면체의 전개도로 알맞지 <u>않은</u> 것을 모두 찾아 그 이유를 설명하시오. (5점)

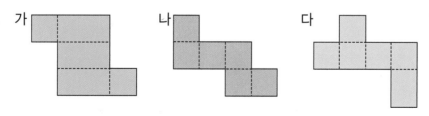

**1** 직육면체가 <u>아닌</u> 것을 찾아 그 이유를 설명하시오. (4점)

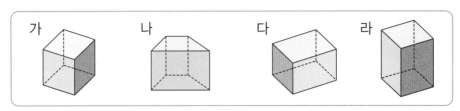

**2** 오른쪽 전개도를 이용하여 정육면체를 만들었을 때 면 마 와 평행한 면은 어느 것인지 설명하시오. (4점)

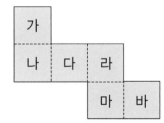

**답** _____

**3** 오른쪽 직육면체의 색칠한 면과 평행한 면은 각각 어느 것인지 설명하시오. (5점)

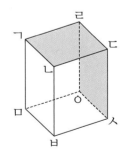

**답** _____

④ 오른쪽 직육면체에서 면 ㅁㅂㅅㅇ과 수직인 면은 어느 것인지 설명하시오. (4점)

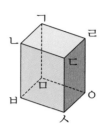

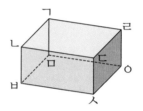

답 _____

⑤ 오른쪽은 직육면체의 겨냥도를 잘못 그린 것입니다. 잘못 그린 이유를 설명하시오. (4점)

⑥ 직육면체의 전개도를 그린 것입니다. 잘못 그린 것을 모두 찾아 그 이유를 설명하시오. (5점)

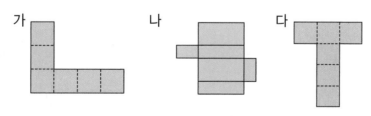

가          나          다

논리적 사고력을 키워주는
# 숫자 퍼즐 스도쿠

■ 게임 방법
1. 모든 세로줄에는 1부터 9까지의 숫자가 겹치지 않게 한 번씩만 들어갑니다.
2. 모든 가로줄에는 1부터 9까지의 숫자가 겹치지 않게 한 번씩만 들어갑니다.
3. 가로, 세로 3×3으로 이루어진 굵은 테두리의 작은 사각형 안에도 1부터 9까지의 숫자가 겹치지 않게 한 번씩만 들어갑니다.

| | 3 | 4 | | 8 | 9 | | 5 | |
|---|---|---|---|---|---|---|---|---|
| | | | 6 | | | | 4 | |
| 8 | | | 1 | | 5 | | 6 | 3 |
| 9 | 4 | | 8 | | 2 | | | 7 |
| | 3 | | | 9 | | | | |
| 7 | | 1 | 6 | | 4 | 3 | | |
| 3 | | | | | | | 7 | 4 |
| | | 8 | 9 | | 7 | 2 | | |
| 6 | 1 | | | | | | | 9 |

# 6 평균과 가능성

영수네 모둠 학생들의 수학 점수를 조사하여 나타낸 표입니다. 영수네 모둠 학생들의 평균 수학 점수는 몇 점인지 풀이 과정을 쓰고 답을 구하시오. (4점)

**모둠 학생들의 수학 점수**

| 이름 | 영수 | 석기 | 지혜 | 가영 | 효근 |
|------|------|------|------|------|------|
| 점수(점) | 78 | 76 | 84 | 100 | 92 |

**서술 길라잡이** $(평균) = \dfrac{(자료\ 값의\ 합)}{(자료의\ 수)}$

영수네 모둠 학생들의 수학 점수의 총점은 $78 + 76 + 84 + 100 + 92 = 430$(점)이고
모둠 학생 수는 5명입니다.
따라서 영수네 모둠 학생들의 평균 수학 점수는

$\dfrac{(모둠\ 학생들의\ 수학\ 점수의\ 총점)}{(모둠\ 학생\ 수)} = \dfrac{430}{5} = 86$(점)입니다.

**답** ___86점___

| 평가기준 | 모둠 학생들의 수학 점수의 총점을 바르게 구한 경우 | 2점 | 합 4점 |
|------|------|------|------|
| | 모둠 학생들의 평균 수학 점수를 바르게 구한 경우 | 2점 | |

## 서술형 완성하기 빈칸을 채우며 서술형 풀이를 완성하고 답을 쓰시오.

**1** 가영이네 모둠에서 한 달 동안 마신 물의 양을 측정하여 나타낸 표입니다. 가영이네 모둠원이 한 달 동안 마신 물의 양은 평균 몇 L인지 풀이 과정을 쓰고 답을 구하시오.

**마신 물의 양**

| 이름 | 가영 | 웅이 | 예슬 | 동민 | 석기 |
|------|------|------|------|------|------|
| 물의 양(L) | 160 | 198 | 187 | 205 | 240 |

가영이네 모둠 학생들이 한 달 동안 마신 물의 양의 합은

$160 + 198 + \boxed{\phantom{00}} + \boxed{\phantom{00}} + \boxed{\phantom{00}} = \boxed{\phantom{00}}$(L)이고

가영이네 모둠 학생 수는 5명입니다.
따라서 가영이네 모둠 학생들이 한 달 동안 마신 물의 양의

평균은 $\dfrac{\boxed{\phantom{00}}}{5} = \boxed{\phantom{00}}$(L)입니다.

**답** _____

**1** 한별이네 모둠 학생들의 몸무게를 조사하여 나타낸 표입니다. 한별이네 모둠 학생들의 평균 몸무게는 몇 kg인지 풀이 과정을 쓰고 답을 구하시오. (4점)

모둠 학생들의 몸무게

| 이름 | 한별 | 영수 | 가영 | 지혜 |
|------|------|------|------|------|
| 몸무게(kg) | 55 | 58 | 53 | 54 |

답 _____

**2** 지난주 월요일부터 금요일까지 최고 기온을 조사하여 나타낸 표입니다. 지난주 요일별 최고 기온의 평균은 몇 ℃인지 풀이 과정을 쓰고 답을 구하시오. (4점)

요일별 최고 기온

| 요일 | 월 | 화 | 수 | 목 | 금 |
|------|-----|-----|-----|-----|-----|
| 최고 기온(℃) | 19 | 22 | 20 | 23 | 21 |

답 _____

**3** 과수원별 사과 생산량을 조사하여 나타낸 표입니다. 네 과수원의 평균 사과 생산량은 몇 kg인지 풀이 과정을 쓰고 답을 구하시오. (4점)

과수원별 사과 생산량

| 과수원 | 가 | 나 | 다 | 라 | 마 |
|--------|-----|-----|-----|-----|-----|
| 생산량(kg) | 325 | 350 | 375 | 380 | 345 |

답 _____

동호회 회원의 나이를 조사하여 나타낸 표입니다. 회원 한 명이 더 들어와서 평균 나이가 한 살 늘었다면 새로운 회원의 나이는 몇 살인지 풀이 과정을 쓰고 답을 구하시오. (4점)

**동호회 회원의 나이**

| 이름 | 가영 | 지혜 | 한별 | 효근 |
|------|------|------|------|------|
| 나이(살) | 12 | 15 | 16 | 17 |

**서술 길라잡이** 전체를 더한 합계를 개수로 나눈 값을 평균이라고 합니다.

✏️ 회원 4명의 평균 나이는 $\dfrac{12+15+16+17}{4}=\dfrac{60}{4}=15$(살)입니다. 새로운 회원의 나이를

■살이라고 하면 $\dfrac{60+■}{4+1}=15+1$이므로 $\dfrac{60+■}{5}=16$, $60+■=80$, $■=20$입니다.

따라서 새로운 회원의 나이는 20살입니다.    **답** _____20살_____

| 평가기준 | 4명의 평균 나이를 바르게 구한 경우 | 2점 | 합 4점 |
|------|------|------|------|
| | 5명의 평균 나이를 구하는 식을 바르게 나타낸 경우 | 1점 | |
| | 답을 바르게 구한 경우 | 1점 | |

## 서술형 완성하기    빈칸을 채우며 서술형 풀이를 완성하고 답을 쓰시오.

**1** 석기네 모둠 학생들의 몸무게를 조사하여 나타낸 표입니다. 학생 한 명이 석기네 모둠으로 더 들어와서 평균 몸무게가 2 kg 늘었다면 새로 들어온 학생의 몸무게는 몇 kg인지 풀이 과정을 쓰고 답을 구하시오.

**모둠 학생들의 몸무게**

| 이름 | 석기 | 영수 | 한솔 | 상연 | 지혜 |
|------|------|------|------|------|------|
| 몸무게(kg) | 28 | 35 | 36 | 41 | 25 |

✏️ 모둠원 5명의 평균 몸무게는 $\dfrac{28+35+36+41+25}{5}=\dfrac{\boxed{\phantom{00}}}{5}=\boxed{\phantom{00}}$(kg)입니다.

새로 들어온 학생의 몸무게를 ■ kg이라고 하면 $\dfrac{\boxed{\phantom{00}}+■}{5+\boxed{\phantom{0}}}=\boxed{\phantom{00}}+2$이므로

$\dfrac{\boxed{\phantom{00}}+■}{\boxed{\phantom{0}}}=\boxed{\phantom{00}}$, $\boxed{\phantom{00}}+■=\boxed{\phantom{00}}$, $■=\boxed{\phantom{00}}$입니다.

따라서 새로 들어온 학생의 몸무게는 $\boxed{\phantom{00}}$ kg입니다.    **답** _____

**1** 동아리 회원의 발 길이를 조사하여 나타낸 표입니다. 회원 한 명이 더 들어와서 평균 발 길이가 1 mm 늘었다면 새로운 회원의 발 길이는 몇 mm인지 풀이 과정을 쓰고 답을 구하시오. (4점)

### 동아리 회원의 발 사이즈

| 이름 | 가영 | 석기 | 효근 | 지혜 | 동민 | 영수 |
|------|------|------|------|------|------|------|
| 발 사이즈(mm) | 272 | 232 | 290 | 240 | 250 | 240 |

답 _____

**2** 동민이네 모둠 학생들의 키를 조사하여 나타낸 표입니다. 학생 한 명이 동민이네 모둠으로 더 들어와서 평균 키가 2 cm 줄었다면 새로 들어온 학생의 키는 몇 cm 인지 풀이 과정을 쓰고 답을 구하시오. (4점)

### 모둠 학생들의 키

| 이름 | 동민 | 지혜 | 석기 | 한별 | 한솔 | 신영 |
|------|------|------|------|------|------|------|
| 키(cm) | 123 | 136 | 138 | 131 | 134 | 142 |

답 _____

한솔이의 단원 평가 점수를 나타낸 표입니다. 5단원까지의 단원 평가 점수의 평균이 90점이 되려면 5단원 평가에서 몇 점을 받아야 하는지 풀이 과정을 쓰고 답을 구하시오. (4점)

**단원 평가 점수**

| 단원 | 1단원 | 2단원 | 3단원 | 4단원 |
|---|---|---|---|---|
| 점수(점) | 86 | 85 | 92 | 95 |

**서술 길라잡이** (모르는 자료의 값)＝(합계)－(아는 자료의 값의 합)

✏ 5단원까지의 단원 평가 점수의 평균이 90점일 때 총점은 90×5＝450(점)이고

1단원부터 4단원까지의 점수의 합은 86＋85＋92＋95＝358(점)입니다.

따라서 평균이 90점이 되려면 5단원 평가에서 받아야 할 점수는 450－358＝92(점)입니다.

**답** 92점

| 평가 기준 | 평균을 이용하여 합계를 바르게 구한 경우 | 2점 | 합 4점 |
|---|---|---|---|
| | 주어진 자료의 합을 바르게 구한 경우 | 1점 | |
| | 답을 바르게 구한 경우 | 1점 | |

## 서술형 완성하기   빈칸을 채우며 서술형 풀이를 완성하고 답을 쓰시오.

**1** 9월부터 11월까지 상연이가 본 수학 시험의 점수입니다. 상연이의 수학 점수 평균이 85점 이상이 되려면 12월 시험에서 적어도 몇 점을 받아야 하는지 풀이 과정을 쓰고 답을 구하시오.

**상연이의 수학 점수**

| 월 | 9 | 10 | 11 | 12 |
|---|---|---|---|---|
| 점수(점) | 84 | 92 | 88 | |

✏ 9월부터 12월까지의 수학 점수의 평균이 85점일 때 총점은 85×4＝ ⬚ (점)이고

9월부터 11월까지의 수학 점수의 합은 84＋92＋88＝ ⬚ (점)입니다.

따라서 평균 85점 이상이 되려면 12월 시험에서 적어도 ⬚ － ⬚ ＝ ⬚ (점)을 받아야 합니다.

**답**

**1** 예슬이가 6일 동안 읽은 동화책 쪽수입니다. 7일째인 날에 몇 쪽을 읽어야 하루에 평균 30쪽을 읽은 셈인지 풀이 과정을 쓰고 답을 구하시오. (4점)

읽은 동화책 쪽수

| 날짜 | 1 | 2 | 3 | 4 | 5 | 6 |
|------|-----|-----|-----|-----|-----|-----|
| 쪽수(쪽) | 23 | 24 | 18 | 42 | 32 | 25 |

답 _____

**2** 귤 8개 중에서 7개의 무게를 재어 보니 각각 다음과 같았습니다. 귤 8개의 평균 무게가 142 g이라면 무게를 재지 않은 나머지 귤 한 개의 무게는 몇 g인지 풀이 과정을 쓰고 답을 구하시오. (4점)

| 141 g | 145 g | 140 g | 136 g | 128 g | 133 g | 137 g | ☐ g |
|-------|-------|-------|-------|-------|-------|-------|-----|

답 _____

**3** 지혜의 1회부터 4회까지의 영어 시험 평균 점수가 85.5점입니다. 1회부터 5회까지의 평균 점수가 88점이 되려면 5회째 시험에서 몇 점을 받아야 하는지 풀이 과정을 쓰고 답을 구하시오. (5점)

답 _____

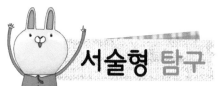
주머니 속에 빨간색 구슬이 3개, 파란색 구슬이 1개 있습니다. 그중에서 구슬을 한 개 꺼낼 때, 꺼낸 구슬이 파란색일 가능성을 수로 나타내면 얼마인지 풀이 과정을 쓰고 답을 구하시오. (4점)

**서술 길라잡이** 가능성은 어떠한 상황에서 특정한 일이 일어날 기대할 수 있는 정도를 말합니다.

✏️ 전체 구슬의 수는 3+1=4(개)입니다.

따라서 꺼낸 구슬이 파란색일 가능성은 4개 중의 1개이므로 $\frac{1}{4}$입니다.

답 ___$\frac{1}{4}$___

| 평가기준 | 전체 구슬의 수를 바르게 구한 경우 | 2점 | 합 4점 |
|---|---|---|---|
| | 답을 바르게 구한 경우 | 2점 | |

## 서술형 완성하기

빈칸을 채우며 서술형 풀이를 완성하고 답을 쓰시오.

**1** 상자 안에 딸기맛 사탕이 2개, 포도맛 사탕이 2개 있습니다. 그중에서 사탕을 한 개 꺼낼 때, 꺼낸 사탕이 딸기맛 사탕일 가능성을 수로 나타내면 얼마인지 풀이 과정을 쓰고 답을 구하시오.

✏️ 전체 사탕의 수는 2+2=☐(개)입니다.

따라서 꺼낸 사탕이 딸기맛일 가능성은 ☐개 중의 ☐개이므로 $\frac{\Box}{\Box}$입니다.

답 _____

**2** 주머니 속에 흰색 바둑돌이 10개, 검은색 바둑돌이 30개 있습니다. 그중에서 바둑돌을 한 개 꺼낼 때 꺼낸 바둑돌이 검은색일 가능성을 수로 나타내면 얼마인지 풀이 과정을 쓰고 답을 구하시오.

✏️ 전체 바둑돌의 수는 10+30=☐(개)입니다.

따라서 꺼낸 바둑돌이 검은색일 가능성은 ☐개 중의 ☐개이므로 $\frac{\Box}{\Box}$입니다.

답 _____

**1** 주머니 속에 빨간색 공이 3개, 파란색 공이 5개, 흰색 공이 4개 있습니다. 그중에서 공을 한 개 꺼낼 때, 꺼낸 공이 빨간색일 가능성을 수로 나타내면 얼마인지 풀이 과정을 쓰고 답을 구하시오. (4점)

답

**2** 한별이네 모둠에는 남학생이 4명, 여학생이 4명 있습니다. 모둠장 한 명을 뽑을 때 여학생이 뽑힐 가능성을 수로 나타내면 얼마인지 풀이 과정을 쓰고 답을 구하시오.

(4점)

답

**3** 1부터 10까지의 수 카드가 한 장씩 있습니다. 이 카드 중에서 한 장을 뽑을 때, 홀수를 뽑을 가능성을 수로 나타내면 얼마인지 풀이 과정을 쓰고 답을 구하시오. (4점)

답

① 상연이와 웅이의 과목별 성적을 나타낸 표입니다. 누구의 성적이 더 좋은지 풀이 과정을 쓰고 답을 구하시오. (5점)

**과목별 성적**

| 이름 \ 과목 | 국어 | 수학 | 사회 | 과학 |
|---|---|---|---|---|
| 상연 | 78 | 88 | 90 | 84 |
| 웅이 | 85 | 80 | 90 | 83 |

답 _____

② 가영이네 반 남녀 학생들의 평균 몸무게를 나타낸 표입니다. 학생 1명이 전학 왔는데 평균 몸무게가 변함이 없었다면 전학 온 학생의 몸무게는 몇 kg인지 풀이 과정을 쓰고 답을 구하시오. (5점)

| 남학생 12명 | 37.75 kg |
|---|---|
| 여학생 14명 | 34.5 kg |

답 _____

**3** 지혜네 모둠 친구들의 줄넘기 횟수를 세어 평균을 구했더니 100번이 되었습니다. 예슬이는 줄넘기를 몇 번 했는지 풀이 과정을 쓰고 답을 구하시오. (4점)

**줄넘기 횟수**

| 이름 | 지혜 | 가영 | 한별 | 동민 | 예슬 |
|------|------|------|------|------|------|
| 횟수(번) | 120 | 80 | 85 | 72 | |

답 _____

**4** 1부터 10까지의 수 카드가 10장 있습니다. 이 카드 중에서 한 장을 뽑을 때 뽑힌 카드에 쓰여 있는 수가 2의 배수일 가능성을 수로 나타내면 얼마인지 풀이 과정을 쓰고 답을 구하시오. (4점)

1  2  3  4  5

6  7  8  9  10

답 _____

논리적 사고력을 키워주는
# 숫자 퍼즐 스도쿠

▣ 게임 방법

1. 모든 세로줄에는 1부터 9까지의 숫자가 겹치지 않게 한 번씩만 들어갑니다.

2. 모든 가로줄에는 1부터 9까지의 숫자가 겹치지 않게 한 번씩만 들어갑니다.

3. 가로, 세로 3×3으로 이루어진 굵은 테두리의 작은 사각형 안에도 1부터 9까지의 숫자가 겹치지 않게 한 번씩만 들어갑니다.

| 7 | 1 |   | 3 | 2 |   |   |   | 5 |
|---|---|---|---|---|---|---|---|---|
| 3 |   | 6 |   |   |   |   |   |   |
|   |   |   | 1 | 6 |   | 3 |   | 9 |
| 4 | 5 |   |   |   | 1 |   |   |   |
|   |   |   | 4 | 9 |   |   | 2 | 7 |
|   | 7 | 8 |   |   |   | 1 |   |   |
|   |   |   | 7 |   | 2 |   | 9 | 3 |
| 5 |   | 1 |   |   |   |   |   |   |
|   | 3 | 7 | 5 |   |   |   | 8 | 1 |

5 학년이 꼭 ✓ 알아야 할

수학 서술형

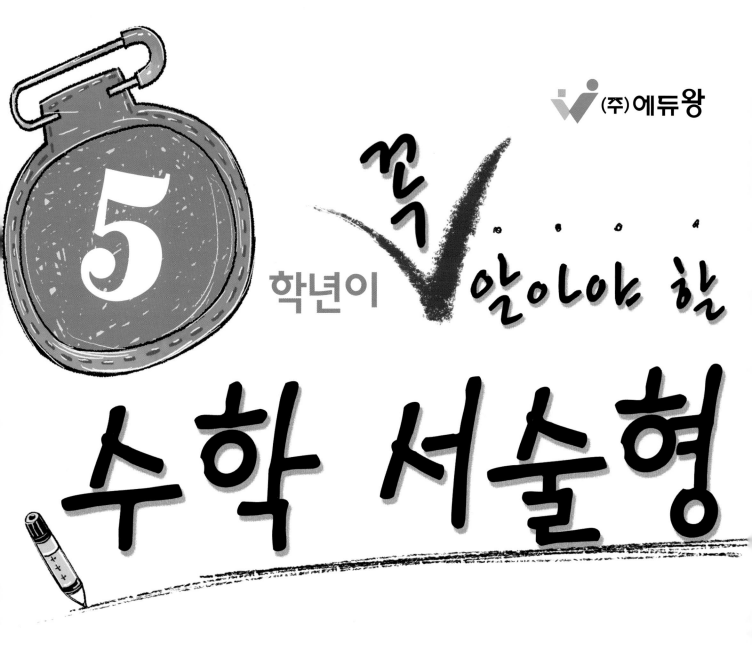

# 5

학년이 ✓ 꼭 알아야 할

# 수학 서술형

정답과 풀이

(주)에듀왕
www.왕수학.com

## 1 수의 범위와 어림하기

### 1. 수의 범위와 어림하기 (1)

**서술형 완성하기** p. 4

**1** 17보다 크거나 같은 수, 17, 18.7, 20

답 17, 18.7, 20

**2** 18초보다 빠르거나 같은, 18, 17.8, 효근, 석기, 3 답 3명

**서술형 정복하기** p. 5

**1**

✏️ 34 초과 37 미만인 수는 34보다 크고 37보다 작은 수이므로 36.9, 35, 34.5입니다.
따라서 34 초과 37 미만인 수는 모두 3개입니다.

답 3개

| 평가기준 | 범위에 알맞은 수를 모두 바르게 찾은 경우 | 3점 | 합 4점 |
|---|---|---|---|
| | 범위에 알맞은 수를 세어 답을 구한 경우 | 1점 | |

**2**

✏️ 29개 이상은 29개보다 많거나 같은 수이므로 29개, 39개, 31개입니다.
따라서 메달을 29개 이상 획득한 나라는 캐나다, 노르웨이, 독일입니다.

답 캐나다, 노르웨이, 독일

| 평가기준 | 범위에 알맞은 메달 수를 바르게 찾은 경우 | 2점 | 합 4점 |
|---|---|---|---|
| | 메달 수에 해당하는 나라를 모두 바르게 쓴 경우 | 2점 | |

**3**

✏️ 55 kg 초과 60 kg 이하는 55 kg보다 무겁고 60 kg보다 가볍거나 같은 몸무게이므로 58.2 kg, 60 kg, 55.8 kg입니다.
따라서 용사급에 해당하는 학생은 솔별, 영

수, 효근으로 모두 3명입니다.

답 3명

| 평가기준 | 범위에 알맞은 몸무게를 모두 바르게 찾은 경우 | 3점 | 합 4점 |
|---|---|---|---|
| | 범위에 알맞은 몸무게의 수를 세어 답을 구한 경우 | 1점 | |

### 1. 수의 범위와 어림하기 (2)

**서술형 완성하기** p. 6

**1** 850, 851 답 851 kg 미만

**2** 60, 60 답 60세 초과

**서술형 정복하기** p. 7

**1**

✏️ 만 6세는 버스비를 내고 만 5세는 버스비를 내지 않으므로 버스비를 내지 않아도 되는 나이는 만 6세 미만입니다.

답 만 6세 미만

| 평가기준 | 설명이 논리적이고 바른 경우 | 3점 | 합 5점 |
|---|---|---|---|
| | 답을 바르게 나타낸 경우 | 2점 | |

**2**

✏️ 60.0 kg은 씨름부에 지원할 수 있고 59.9 kg은 씨름부에 지원할 수 없으므로 씨름부의 지원 자격은 몸무게 60 kg 이상입니다.

답 60 kg 이상

| 평가기준 | 설명이 논리적이고 바른 경우 | 3점 | 합 5점 |
|---|---|---|---|
| | 답을 바르게 나타낸 경우 | 2점 | |

**3**

✏️ 1 m 34 cm는 놀이기구를 탈 수 없고 1 m 35 cm는 놀이기구를 탈 수 있으므로 이 놀이기구를 타려면 키가 1 m 35 cm 이상이어야 합니다.

답 1 m 35 cm 이상

| 평가기준 | 설명이 논리적이고 바른 경우 | 3점 | 합 5점 |
|---|---|---|---|
| | 답을 바르게 나타낸 경우 | 2점 | |

## 1. 수의 범위와 어림하기 (3)

### 서술형 완성하기    p. 8

**1**
```
10  11  12  13  14  15  16  17  18  19
```
포함하지 않으므로, ○, 포함하므로, ●

**2** 초과, 초과, 47   **답** 47

### 서술형 정복하기    p. 9

**1**

🖉 7에 점 ●으로 나타내고 13에 점 ○으로 나타내어 두 점 사이에 선을 그었으므로 7보다 크거나 같고 13보다 작은 수입니다.
따라서 수직선에 나타낸 수의 범위는 7 이상 13 미만인 수입니다.

         **답** 7 이상 13 미만인 수

| 평가 기준 | | |
|---|---|---|
| 수직선에 나타나 있는 것에 대하여 그 의미를 논리적이고 바르게 설명한 경우 | 2점 | 합 4점 |
| 수직선에 나타낸 수의 범위를 바르게 쓴 경우 | 2점 | |

**2**

🖉
```
36  37  38  39  40  41  42  43  44  45
```
42 초과인 수는 42보다 큰 수입니다.
따라서 42에 점 ○으로 나타내고 오른쪽으로 선을 긋습니다.

| 평가 기준 | | |
|---|---|---|
| 수의 범위를 수직선에 바르게 나타낸 경우 | 2점 | 합 4점 |
| 수직선에 나타내는 방법에 대해 바르게 설명한 경우 | 2점 | |

**3**

🖉 20에 점 ○으로 나타내고 24에 점 ○으로 나타내어 두 점 사이에 선을 그었으므로 수직선에 나타낸 수의 범위는 20 초과 24 미만인 수입니다.
따라서 20 초과 24 미만인 수의 범위에 속하는 가장 작은 자연수는 21이고 가장 큰 자연수는 23이므로 그 차를 구하면 $23-21=2$

입니다.

         **답** 2

| 평가 기준 | | |
|---|---|---|
| 수직선에 나타낸 수의 범위를 바르게 설명한 경우 | 2점 | 합 5점 |
| 수의 범위에 속하는 가장 큰 자연수와 가장 작은 자연수를 설명하고 차를 바르게 구한 경우 | 3점 | |

## 1. 수의 범위와 어림하기 (4)

### 서술형 완성하기    p. 10

**1** 버림, 백, 버림

**2** 8000, 7000, 7000, 올림   **답** 올림

### 서술형 정복하기    p. 11

**1**

🖉 [방법 1] 62003을 버림하여 십의 자리까지 나타내면 62000입니다.
[방법 2] 62003을 버림하여 백의 자리까지 나타내면 62000입니다.
[방법 3] 62003을 반올림하여 천의 자리까지 나타내면 62000입니다.

| 평가 기준 | | |
|---|---|---|
| 1가지 방법을 설명할 때마다 2점씩 배점하여 총 6점이 되도록 평가합니다. | 합 6점 | |

**2**

🖉 1005를 올림하여 백의 자리까지 나타내면 1100입니다.
1005를 버림하여 백의 자리까지 나타내면 1000입니다.
1005를 반올림하여 백의 자리까지 나타내면 1000입니다.
따라서 나타낸 수가 다른 하나는 올림의 방법으로 나타낸 수입니다.

         **답** 올림

| 평가 기준 | | |
|---|---|---|
| 올림, 버림, 반올림하여 나타낸 수를 각각 바르게 설명한 경우 | 3점 | 합 5점 |
| 답을 구한 경우 | 2점 | |

**3**

✏️ 71850을 반올림하여 백의 자리까지 나타내면 71900입니다. ➡ ㉠＝71900

71850을 천의 자리에서 반올림하여 나타내면 70000입니다. ➡ ㉡＝70000

71850을 반올림하여 천의 자리까지 나타내면 72000입니다. ➡ ㉢＝72000

따라서 ㉠, ㉡, ㉢ 중 가장 작은 수는 ㉡입니다.

답 ㉡

| 평가<br>기준 | ㉠, ㉡, ㉢을 각각 바르게 설명한 경우 | 3점 | 합<br>5점 |
|---|---|---|---|
| | 답을 구한 경우 | 2점 | |

## 1. 수의 범위와 어림하기 (5)

### 서술형 완성하기    p. 12

**1** 14, 22, 22, 14   답 14개

**2** 6, 1, 7, 7, 70   답 70개

### 서술형 정복하기    p. 13

**1**

✏️ $972 \div 48 = 20 \cdots 12$에서 우유 48 mL씩 도넛 20개를 만들면 우유 12 mL가 남습니다.

따라서 남은 우유 12 mL로는 도넛을 만들 수 없으므로 우유 972 mL로는 도넛을 20개까지 만들 수 있습니다.

답 20개

| 평가<br>기준 | 풀이 과정이 바른 경우 | 3점 | 합 |
|---|---|---|---|
| | 답을 바르게 구한 경우 | 2점 | 5점 |

**2**

✏️ $473 \div 30 = 15 \cdots 23$에서 헌 종이를 30 kg씩 15개의 자루에 담으면 23 kg이 남습니다.

따라서 남는 헌 종이가 없도록 473 kg을 모두 담아야 하므로 자루는 적어도 $15 + 1 = 16$(개) 필요합니다.

답 16개

| 평가<br>기준 | 풀이 과정이 바른 경우 | 3점 | 합 |
|---|---|---|---|
| | 답을 바르게 구한 경우 | 2점 | 5점 |

**3**

✏️ $162 \div 10 = 16 \cdots 2$에서 타일을 10장씩 16묶음을 사면 타일 2장이 모자라므로 10장씩 $16 + 1 = 17$(묶음)을 사야 합니다.

따라서 타일은 $10 \times 17 = 170$(장) 사야 하고 타일 가격은 $17 \times 5000 = 85000$(원)이 듭니다.

답 170장, 85000원

| 평가<br>기준 | 사야 하는 타일의 수를 바르게 구한 경우 | 3점 | 합 |
|---|---|---|---|
| | 필요한 타일 가격을 바르게 구한 경우 | 3점 | 6점 |

## 1. 수의 범위와 어림하기 (6)

### 서술형 완성하기    p. 14

**1** 2301, 2400, 2400, 2301, 2400, 2301, 4701   답 4701

**2**

25, 35, 25, 35, 25, 35

### 서술형 정복하기    p. 15

**1**

✏️ 버림하여 십의 자리까지 나타낸 수가 950이 되는 자연수는 950부터 959까지입니다.

따라서 버림하여 십의 자리까지 나타낸 수가 950이 되는 가장 큰 자연수는 959이고 가장 작은 자연수는 950이므로 $959 - 950 = 9$입니다.

답 9

| 평가<br>기준 | 버림하여 십의 자리까지 나타낸 수가 950이 되는 자연수의 범위를 바르게 설명한 경우 | 3점 | 합<br>5점 |
|---|---|---|---|
| | 답을 바르게 구한 경우 | 2점 | |

## 2

🖋 백의 자리에서 반올림하여 1000이 되는 자연수는 500부터 1499까지입니다.
따라서 백의 자리에서 반올림하여 1000이 되는 가장 큰 자연수는 1499이고 가장 작은 자연수는 500이므로 1499+500=1999입니다.

**답** 1999

| 평가기준 | 백의 자리에서 반올림하여 1000이 되는 자연수의 범위를 바르게 설명한 경우 | 3점 | 합 5점 |
|---|---|---|---|
| | 답을 바르게 구한 경우 | 2점 | |

## 3

🖋
```
  ├──────┼─────●──────┼──────○──────┤
4990        5000              5010
```
일의 자리에서 반올림하여 5000이 되는 수의 범위는 4995 이상 5005 미만인 수입니다.
4995 이상 5005 미만인 수의 범위는 수직선의 수 4995에 점 ●으로 나타내고 5005에 점 ○으로 나타낸 후 두 점 사이에 선을 긋습니다.

| 평가기준 | 일의 자리에서 반올림하여 5000이 되는 수의 범위를 바르게 설명한 경우 | 3점 | 합 5점 |
|---|---|---|---|
| | 수의 범위를 수직선에 바르게 나타낸 경우 | 2점 | |

### 실전! 서술형    p. 16 ~ 17

## 1

🖋 23 초과 30 이하인 수는 23보다 크고 30보다 작거나 같은 수이므로 24.1, 28, 30, 26.5입니다.
따라서 23 초과 30 이하인 수는 모두 4개입니다.

**답** 4개

| 평가기준 | 범위에 알맞은 수를 모두 바르게 찾은 경우 | 3점 | 합 4점 |
|---|---|---|---|
| | 범위에 알맞은 수를 세어 답을 구한 경우 | 1점 | |

## 2

🖋 13명이 타면 운행할 수 없고 12명이 타면 운행되므로 이 승강기가 운행되려면 13명 미만으로 타야 합니다.

**답** 13명 미만

| 평가기준 | 설명이 논리적이고 바른 경우 | 3점 | 합 5점 |
|---|---|---|---|
| | 답을 바르게 나타낸 경우 | 2점 | |

## 3

🖋 18에 점 ○으로 나타내고 21에 점 ●으로 나타내어 두 점 사이에 선을 그었으므로 수직선에 나타낸 수의 범위는 18 초과 21 이하인 수입니다. 따라서 18 초과 21 이하인 수의 범위에 속하는 가장 큰 자연수는 21이고 가장 작은 자연수는 19이므로 두 수의 차는
21-19=2입니다.

**답** 2

| 평가기준 | 수직선에 나타낸 수의 범위를 바르게 설명한 경우 | 2점 | 합 5점 |
|---|---|---|---|
| | 수의 범위에 속하는 가장 큰 자연수와 가장 작은 자연수를 설명하고 차를 바르게 구한 경우 | 3점 | |

## 4

🖋 1973을 올림하여 백의 자리까지 나타내면 2000입니다.
1973을 버림하여 백의 자리까지 나타내면 1900입니다.
1973을 반올림하여 백의 자리까지 나타내면 2000입니다.
따라서 나타낸 수가 다른 하나는 버림의 방법으로 나타낸 수입니다.

**답** 버림

| 평가기준 | 올림, 버림, 반올림하여 나타낸 수를 각각 바르게 설명한 경우 | 3점 | 합 5점 |
|---|---|---|---|
| | 답을 바르게 구한 경우 | 2점 | |

# 정답과 풀이

## 5

✏️ $1274 \div 10 = 127 \cdots 4$에서 색 테이프를 10 cm씩 127묶음을 사면 색 테이프 4 cm가 모자라므로 10 cm씩 $127 + 1 = 128$(묶음)을 사야 합니다.
따라서 색 테이프는 $10 \times 128 = 1280$(cm) 사야 하고 색 테이프 가격은 $128 \times 300 = 38400$(원)이 듭니다.

📍 **답** 1280 cm, 38400원

| 평가기준 | 풀이 과정이 바른 경우 | 3점 | 합 |
|---|---|---|---|
| | 답을 바르게 구한 경우 | 3점 | 6점 |

## 6

✏️ 십의 자리에서 반올림하여 700이 되는 자연수는 650부터 749까지입니다.
따라서 십의 자리에서 반올림하여 700이 되는 자연수는 모두 $749 - 650 + 1 = 100$(개)입니다.

📍 **답** 100개

| 평가기준 | 십의 자리에서 반올림하여 700이 되는 자연수의 범위를 바르게 설명한 경우 | 3점 | 합 6점 |
|---|---|---|---|
| | 범위에 알맞은 자연수의 개수를 구한 경우 | 3점 | |

### 쉬어가기  18쪽

| 3 | 6 | 1 | 8 | 2 | 7 | 5 | 4 | 9 |
| 4 | 2 | 8 | 5 | 3 | 9 | 7 | 6 | 1 |
| 5 | 7 | 9 | 1 | 4 | 6 | 2 | 8 | 3 |
| 8 | 5 | 6 | 3 | 1 | 2 | 9 | 7 | 4 |
| 7 | 9 | 3 | 4 | 6 | 5 | 8 | 1 | 2 |
| 1 | 4 | 2 | 9 | 7 | 8 | 6 | 3 | 5 |
| 9 | 1 | 5 | 7 | 8 | 4 | 3 | 2 | 6 |
| 6 | 8 | 4 | 2 | 9 | 3 | 1 | 5 | 7 |
| 2 | 3 | 7 | 6 | 5 | 1 | 4 | 9 | 8 |

## 2 분수의 곱셈

### 2. 분수의 곱셈 (1)

#### 서술형 완성하기  p. 20

**1** [방법 1] 2, 3, 12, 3, 12, 1, 1, 13, 1
[방법 2] 9, 2, 3, 27, 13, 1
**2** 2, 1, 9, 1, 18

#### 서술형 정복하기  p. 21

**1**

✏️ [방법 1] 대분수를 자연수 부분과 분수 부분으로 나누어 계산합니다.

$$1\frac{5}{6} \times 8 = \left(1 + \frac{5}{6}\right) \times 8$$
$$= (1 \times 8) + \left(\frac{5}{\overset{}{6}_{3}} \times \overset{4}{8}\right)$$
$$= 8 + \frac{20}{3} = 8 + 6\frac{2}{3} = 14\frac{2}{3}$$

[방법 2] 대분수를 가분수로 고쳐서 계산합니다.

$$1\frac{5}{6} \times 8 = \frac{11}{\overset{}{6}_{3}} \times \overset{4}{8} = \frac{44}{3} = 14\frac{2}{3}$$

| 평가기준 | 1가지 방법을 설명할 때마다 2점씩 배점하여 총 4점이 되도록 평가합니다. | 합 4점 |
|---|---|---|

**2**

✏️ [방법 1] 대분수를 자연수 부분과 분수 부분으로 나누어 계산합니다.

$$15 \times 2\frac{2}{9} = 15 \times \left(2 + \frac{2}{9}\right)$$
$$= (15 \times 2) + \left(\overset{5}{15} \times \frac{2}{\overset{}{9}_{3}}\right)$$
$$= 30 + \frac{10}{3} = 30 + 3\frac{1}{3} = 33\frac{1}{3}$$

[방법 2] 대분수를 가분수로 고쳐서 계산합니다.

$$15 \times 2\frac{2}{9} = \overset{5}{15} \times \frac{20}{\overset{}{9}_{3}}$$
$$= \frac{100}{3} = 33\frac{1}{3}$$

| 평가기준 | 1가지 방법을 설명할 때마다 2점씩 배점하여 총 4점이 되도록 평가합니다. | 합 4점 |
| --- | --- | --- |

**3**

✎ 대분수를 가분수로 고쳐서 계산합니다.

$$2\frac{1}{12}\times3\frac{3}{10}=\frac{\overset{5}{\cancel{25}}}{\underset{4}{\cancel{12}}}\times\frac{\overset{11}{\cancel{33}}}{\underset{2}{\cancel{10}}}=\frac{55}{8}$$

$$=6\frac{7}{8}$$

| 평가기준 | 대분수를 가분수로 바르게 고친 경우 | 2점 | 합 4점 |
| --- | --- | --- | --- |
| | 답을 구한 경우 | 2점 | |

## 2. 분수의 곱셈 (2)

### 서술형 완성하기      p. 22

**1** 큽니다, 큰, 크므로, $>$

**2** 작아집니다, $>$

### 서술형 정복하기      p. 23

**1**

✎ $\dfrac{5}{11}$ 는 1보다 작습니다.

어떤 수와 1보다 작은 수의 곱은 어떤 수보다 작으므로 $\dfrac{3}{10} \bigcirc\!\!\!> \dfrac{3}{10}\times\dfrac{5}{11}$ 입니다.

| 평가기준 | 곱하는 수가 1보다 작은 수임을 안 경우 | 1점 | 합 4점 |
| --- | --- | --- | --- |
| | 분수의 크기 비교 방법을 설명한 경우 | 3점 | |

**2**

✎ $1\dfrac{1}{14}$ 은 1보다 큽니다.

어떤 수와 1보다 큰 수의 곱은 어떤 수보다 크므로 $3\dfrac{1}{8}\times1\dfrac{1}{14} \bigcirc\!\!\!< 3\dfrac{1}{8}$ 입니다.

| 평가기준 | 곱하는 수가 1보다 큰 수임을 안 경우 | 1점 | 합 4점 |
| --- | --- | --- | --- |
| | 분수의 크기 비교 방법을 설명한 경우 | 3점 | |

**3**

✎ 단위분수끼리의 곱셈에서 곱은 항상 곱해지는 수보다 작아집니다.

따라서 $\dfrac{1}{5}\times\dfrac{1}{2} \bigcirc\!\!\!< \dfrac{1}{5}$ 입니다.

| 평가기준 | 단위분수끼리의 곱의 크기 비교 방법을 안 경우 | 2점 | 합 4점 |
| --- | --- | --- | --- |
| | 분수의 크기 비교를 한 경우 | 2점 | |

## 2. 분수의 곱셈 (3)

### 서술형 완성하기      p. 24

**1** 3, 1, $\dfrac{9}{25}$, $\dfrac{9}{25}$    답 $\dfrac{9}{25}$ m

**2** 2, 1, 1, 4, 4    답 4명

### 서술형 정복하기      p. 25

**1**

✎ (귤 한 상자의 무게)×(상자의 수)

$$=2\frac{3}{4}\times15=\frac{11}{4}\times15$$

$$=\frac{165}{4}=41\frac{1}{4}\,(\text{kg})$$

따라서 귤 15상자의 무게는 $41\dfrac{1}{4}$ kg입니다.

답 $41\dfrac{1}{4}$ kg

| 평가기준 | 문제에 맞는 식을 세운 경우 | 2점 | 합 4점 |
| --- | --- | --- | --- |
| | 귤 15상자의 무게를 구한 경우 | 2점 | |

**2**

✎ (가로)×(세로)

$$=2\frac{5}{8}\times4\frac{1}{2}=\frac{21}{8}\times\frac{9}{2}$$

$$=\frac{189}{16}=11\frac{13}{16}\,(\text{cm}^2)$$

따라서 직사각형의 넓이는 $11\dfrac{13}{16}$ cm²입니다.

답 $11\dfrac{13}{16}$ cm²

| 평가기준 | 문제에 맞는 식을 세운 경우 | 2점 | 합 4점 |
|---|---|---|---|
| | 직사각형의 넓이를 구한 경우 | 2점 | |

## 3

🖉 가영이에게 준 사탕은

(전체 사탕의 수)$\times \dfrac{3}{8} \times \dfrac{1}{2}$ 입니다.

따라서 $\overset{3}{\underset{1}{\overset{6}{48}}} \times \dfrac{3}{\underset{1}{8}} \times \dfrac{1}{\underset{1}{2}}=9$이므로 가영이에게

준 사탕은 9개입니다.

**답** 9개

| 평가기준 | 문제에 맞는 식을 세운 경우 | 2점 | 합 4점 |
|---|---|---|---|
| | 가영이에게 준 사탕의 수를 구한 경우 | 2점 | |

## 2. 분수의 곱셈 (4)

### 서술형 완성하기     p. 26

**1** $8,\ 9,\ \dfrac{81}{32},\ 2\dfrac{17}{32},\ 7,\ 2,\ 1,\ \dfrac{7}{2},\ 3\dfrac{1}{2},\ $ ㉯

   **답** ㉯

### 서술형 정복하기     p. 27

**1**

🖉 (웅이의 포장지의 넓이)

$=3 \times 2\dfrac{1}{4} = 3 \times \dfrac{9}{4} = \dfrac{27}{4} = 6\dfrac{3}{4}\,(\text{m}^2)$

(동민이의 포장지의 넓이)

$=2\dfrac{2}{5} \times 2\dfrac{2}{5} = \dfrac{12}{5} \times \dfrac{12}{5}$

$=\dfrac{144}{25} = 5\dfrac{19}{25}\,(\text{m}^2)$

따라서 웅이의 포장지가 더 넓습니다.

**답** 웅이

| 평가기준 | 각각의 포장지의 넓이를 구한 경우 | 3점 | 합 4점 |
|---|---|---|---|
| | 누구의 포장지가 더 넓은지 구한 경우 | 1점 | |

## 2

🖉 (가영이가 그린 정사각형의 넓이)

$=2\dfrac{5}{8} \times 2\dfrac{5}{8} = \dfrac{21}{8} \times \dfrac{21}{8}$

$=\dfrac{441}{64} = 6\dfrac{57}{64}\,(\text{cm}^2)$

(동민이가 그린 직사각형의 넓이)

$=3\dfrac{1}{5} \times 2\dfrac{3}{10} = \dfrac{\overset{8}{16}}{5} \times \dfrac{23}{\underset{5}{10}}$

$=\dfrac{184}{25} = 7\dfrac{9}{25}\,(\text{cm}^2)$

따라서 동민이가 그린 도형이 더 넓습니다.

**답** 동민

| 평가기준 | 각각의 도형의 넓이를 구한 경우 | 3점 | 합 5점 |
|---|---|---|---|
| | 누구의 도형이 얼마나 더 넓은지 구한 경우 | 2점 | |

## 3. 분수의 곱셈 (5)

### 서술형 완성하기     p. 28

**1** $1,\ 3,\ 1,\ 3,\ 8,\ 24,\ 4,\ 4$

   **답** $4\dfrac{4}{5}$

**2** $4,\ 2,\ 2,\ 3,\ 4,\ 2,\ 2,\ 3,\ 14,\ 11,\ 154,\ 77,$

$12,\ 5$

   **답** $12\dfrac{5}{6}$

### 서술형 정복하기     p. 29

**1**

🖉 만들 수 있는 가장 큰 대분수는 $7\dfrac{2}{5}$입니다.

➡ $7\dfrac{2}{5} \times 5 = \dfrac{37}{\underset{1}{5}} \times \overset{1}{5} = 37$

**답** 37

| 평가기준 | 만들 수 있는 가장 큰 대분수를 구한 경우 | 3점 | 합 5점 |
|---|---|---|---|
| | 만든 대분수의 5배인 수를 구한 경우 | 2점 | |

**2**

✏️ 만들 수 있는 가장 작은 대분수는 $4\frac{6}{8}$입니다.

$$\Rightarrow 4\frac{6}{8}\times 2=\frac{38}{8}\times 2=\frac{76}{8}=\frac{19}{2}=9\frac{1}{2}$$

답 $9\frac{1}{2}$

| 평가기준 | 만들 수 있는 가장 작은 대분수를 구한 경우 | 3점 | 합 5점 |
|---|---|---|---|
| | 만든 대분수의 2배인 수를 구한 경우 | 2점 | |

**3**

✏️ 만들 수 있는 가장 큰 대분수는 $7\frac{1}{4}$이고, 가장

작은 대분수는 $1\frac{4}{7}$입니다.

$$\Rightarrow 7\frac{1}{4}\times 1\frac{4}{7}=\frac{29}{4}\times\frac{11}{7}$$
$$=\frac{319}{28}=11\frac{11}{28}$$

답 $11\frac{11}{28}$

| 평가기준 | 만들 수 있는 가장 큰 대분수와 가장 작은 대분수를 구한 경우 | 4점 | 합 6점 |
|---|---|---|---|
| | 만든 두 수의 곱을 구한 경우 | 2점 | |

### 실전! 서술형
p. 30 ~ 31

**1**

✏️ [방법 1] 대분수를 자연수 부분과 분수 부분으로 나누어 계산합니다.

$$10\times 1\frac{1}{4}$$
$$=10\times\left(1+\frac{1}{4}\right)$$
$$=(10\times 1)+\left(\overset{5}{10}\times\frac{1}{\underset{2}{4}}\right)$$
$$=10+\frac{5}{2}$$
$$=10+2\frac{1}{2}=12\frac{1}{2}$$

[방법 2] 대분수를 가분수로 고쳐서 계산합니다.

$$10\times 1\frac{1}{4}=\overset{5}{10}\times\frac{5}{\underset{2}{4}}$$
$$=\frac{25}{2}=12\frac{1}{2}$$

| 평가기준 | 1가지 방법을 설명할 때마다 2점씩 배점하여 총 4점이 되도록 평가합니다. | 합 4점 |
|---|---|---|

**2**

✏️ $2\frac{1}{2}$은 1보다 큽니다.

어떤 수와 1보다 큰 수의 곱은 어떤 수보다

크므로 $\frac{5}{9}$ $<$ $\frac{5}{9}\times 2\frac{1}{2}$입니다.

| 평가기준 | 곱하는 수가 1보다 큰 수임을 안 경우 | 1점 | 합 4점 |
|---|---|---|---|
| | 분수의 크기 비교 방법을 설명한 경우 | 3점 | |

**3**

✏️ (효근이가 가진 끈의 길이)$\times 1\frac{2}{5}$

$$=2\frac{3}{4}\times 1\frac{2}{5}=\frac{11}{4}\times\frac{7}{5}$$
$$=\frac{77}{20}=3\frac{17}{20}\,(\mathrm{m})$$

따라서 상연가 가진 끈은 $3\frac{17}{20}$ m입니다.

답 $3\frac{17}{20}$ m

| 평가기준 | 문제에 맞는 식을 세운 경우 | 2점 | 합 4점 |
|---|---|---|---|
| | 상연이가 가진 끈의 길이를 구한 경우 | 2점 | |

**4**

✏️ 가영이가 어제 읽고 난 나머지는 전체의

$1-\frac{5}{9}=\frac{4}{9}$이므로 가영이가 오늘 읽은 동화

책은 전체의 $\overset{1}{\underset{3}{\frac{4}{9}}}\times\overset{1}{\underset{1}{\frac{3}{4}}}=\frac{1}{3}$입니다.

따라서 가영이가 오늘 읽은 동화책은 전체의 $\frac{1}{3}$입니다.

 답 $\frac{1}{3}$

| 평가기준 | 어제 읽고 난 나머지는 전체의 얼마 인지 구한 경우 | 1점 | 합 5점 |
|---|---|---|---|
| | 문제에 맞는 식을 세운 경우 | 2점 | |
| | 오늘 읽은 동화책은 전체의 얼마인 지 구한 경우 | 2점 | |

**5**

(정사각형의 넓이)

$$=3\frac{7}{10}\times3\frac{7}{10}=\frac{37}{10}\times\frac{37}{10}$$

$$=\frac{1369}{100}=13\frac{69}{100}\,(\text{cm}^2)$$

(직사각형의 넓이)

$$=5\frac{1}{2}\times2\frac{3}{5}=\frac{11}{2}\times\frac{13}{5}$$

$$=\frac{143}{10}=14\frac{3}{10}\,(\text{cm}^2)$$

따라서 직사각형의 넓이가

$$14\frac{3}{10}-13\frac{69}{100}=\frac{61}{100}\,(\text{cm}^2)\ \text{더 넓습니다.}$$

답 직사각형, $\frac{61}{100}\text{cm}^2$

| 평가기준 | 각각의 도형의 넓이를 구한 경우 | 3점 | 합 5점 |
|---|---|---|---|
| | 어느 것의 넓이가 얼마나 더 넓은지 구한 경우 | 2점 | |

**6**

만들 수 있는 가장 큰 대분수는 $5\frac{1}{3}$이고, 가장

작은 대분수는 $1\frac{3}{5}$입니다.

$$\Rightarrow 5\frac{1}{3}\times1\frac{3}{5}=\frac{16}{3}\times\frac{8}{5}=\frac{128}{15}=8\frac{8}{15}$$

답 $8\frac{8}{15}$

| 평가기준 | 만들 수 있는 가장 큰 대분수와 가장 작은 대분수를 구한 경우 | 4점 | 합 6점 |
|---|---|---|---|
| | 만든 두 수의 곱을 구한 경우 | 2점 | |

쉬어가기 32쪽

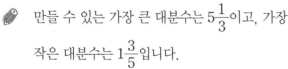

| 5 | 3 | 4 | 7 | 8 | 6 | 1 | 9 | 2 |
|---|---|---|---|---|---|---|---|---|
| 7 | 2 | 1 | 5 | 9 | 3 | 4 | 8 | 6 |
| 9 | 8 | 6 | 1 | 2 | 4 | 5 | 7 | 3 |
| 8 | 4 | 9 | 2 | 6 | 5 | 7 | 3 | 1 |
| 6 | 7 | 2 | 3 | 1 | 8 | 9 | 5 | 4 |
| 3 | 1 | 5 | 4 | 7 | 9 | 2 | 6 | 8 |
| 4 | 9 | 3 | 8 | 5 | 1 | 6 | 2 | 7 |
| 2 | 6 | 8 | 9 | 4 | 7 | 3 | 1 | 5 |
| 1 | 5 | 7 | 6 | 3 | 2 | 8 | 4 | 9 |

# 3 합동과 대칭

## 3. 합동과 대칭 (1)

### 서술형 완성하기      p. 34

**1** 같아야, ㉡, 오른쪽
**2** 같아야, ㉠, 왼쪽

### 서술형 정복하기      p. 35

**1**

🖉 두 도형이 합동이 되려면 두 도형의 모양과 크기가 같아야 합니다.
따라서 점 ㉢을 오른쪽으로 한 칸 옮겨야 합니다.

| 평가 기준 | 합동의 뜻을 알고 있는 경우 | 2점 | 합 4점 |
|---|---|---|---|
| | 두 도형이 합동이 되려면 어떻게 해야 하는지 설명한 경우 | 2점 | |

**2**

🖉 두 도형이 합동이 되려면 두 도형의 모양과 크기가 같아야 합니다.
따라서 점 ㉢을 왼쪽으로 한 칸 옮겨야 합니다.

| 평가 기준 | 합동의 뜻을 알고 있는 경우 | 2점 | 합 4점 |
|---|---|---|---|
| | 두 도형이 합동이 되려면 어떻게 해야 하는지 설명한 경우 | 2점 | |

**3**

🖉 두 도형이 합동이 되려면 두 도형의 모양과 크기가 같아야 합니다.
따라서 점 ㉡을 위쪽으로 한 칸 옮겨야 합니다.

| 평가 기준 | 합동의 뜻을 알고 있는 경우 | 2점 | 합 4점 |
|---|---|---|---|
| | 두 도형이 합동이 되려면 어떻게 해야 하는지 설명한 경우 | 2점 | |

## 3. 합동과 대칭 (2)

### 서술형 완성하기      p. 36

**1** ㄷㄴ, ㄷㄴ, 13

    답 13 cm

**2** ㄱㄴ, ㄱㄴ, 5

    답 5 cm

### 서술형 정복하기      p. 37

**1**

🖉 변 ㄱㄷ의 대응변은 변 ㄹㅁ이므로 변 ㄱㄷ의 길이와 변 ㄹㅁ의 길이는 같습니다.
따라서 변 ㄱㄷ의 길이는 6 cm입니다.

    답 6 cm

| 평가 기준 | 변 ㄱㄷ의 대응변을 찾은 경우 | 2점 | 합 4점 |
|---|---|---|---|
| | 변 ㄱㄷ의 길이를 구한 경우 | 2점 | |

**2**

🖉 변 ㄹㄷ의 대응변은 변 ㅁㅂ이므로 변 ㄹㄷ의 길이와 변 ㅁㅂ의 길이는 같습니다.
따라서 변 ㄹㄷ의 길이는 13 cm입니다.

    답 13 cm

| 평가 기준 | 변 ㄹㄷ의 대응변을 찾은 경우 | 2점 | 합 4점 |
|---|---|---|---|
| | 변 ㄹㄷ의 길이를 구한 경우 | 2점 | |

**3**

🖉 변 ㄱㄴ의 대응변은 변 ㅂㅁ이므로 변 ㄱㄴ의 길이와 변 ㅂㅁ의 길이는 같습니다.
따라서 변 ㄱㄴ의 길이가 15 cm이므로 삼각형 ㄱㄴㄷ의 둘레는 $15+12+11=38(cm)$ 입니다.

    답 38 cm

| 평가 기준 | 변 ㄱㄴ의 대응변을 찾은 경우 | 1점 | 합 5점 |
|---|---|---|---|
| | 변 ㄱㄴ의 길이를 구한 경우 | 2점 | |
| | 삼각형 ㄱㄴㄷ의 둘레를 구한 경우 | 2점 | |

## 3. 합동과 대칭 (3)

### 서술형 완성하기　　　　　p. 38

**1** ㄱㄷㄴ, ㄱㄷㄴ, 30

　　**답** 30°

**2** ㄹㄷㄴ, ㄹㄷㄴ, 80

　　**답** 80°

### 서술형 정복하기　　　　　p. 39

**1**

✏ 각 ㄱㄷㄴ의 대응각은 각 ㄹㅁㅂ이므로 각 ㄱㄷㄴ의 크기와 각 ㄹㅁㅂ의 크기는 같습니다.
따라서 각 ㄱㄷㄴ의 크기는 20°입니다.

**답** 20°

| 평가기준 | 각 ㄱㄷㄴ의 대응각을 찾은 경우 | 2점 | 합 4점 |
|---|---|---|---|
| | 각 ㄱㄷㄴ의 크기를 구한 경우 | 2점 | |

**2**

✏ 각 ㅁㅇㅅ의 대응각은 각 ㄹㄱㄴ이므로 각 ㅁㅇㅅ의 크기와 각 ㄹㄱㄴ의 크기는 같습니다.
따라서 각 ㅁㅇㅅ의 크기는 70°입니다.

**답** 70°

| 평가기준 | 각 ㅁㅇㅅ의 대응각을 찾은 경우 | 2점 | 합 4점 |
|---|---|---|---|
| | 각 ㅁㅇㅅ의 크기를 구한 경우 | 2점 | |

**3**

✏ 각 ㄹㅂㅁ의 대응각은 각 ㄷㄱㄴ이므로 각 ㄹㅂㅁ의 크기와 각 ㄷㄱㄴ의 크기는 같습니다.
따라서 각 ㄹㅂㅁ의 크기가 95°이므로 각 ㄹㅁㅂ의 크기는 180°−95°−35°=50°입니다.

**답** 50°

| 평가기준 | 각 ㄹㅂㅁ의 대응각을 찾은 경우 | 1점 | 합 5점 |
|---|---|---|---|
| | 각 ㄹㅂㅁ의 크기를 구한 경우 | 2점 | |
| | 각 ㄹㅁㅂ의 크기를 구한 경우 | 2점 | |

## 3. 합동과 대칭 (4)

### 서술형 완성하기　　　　　p. 40

**1** 대칭축, 가, 가　　**답** 가

**2** 180, **N**, **X**, 2　　**답** 2개

### 서술형 정복하기　　　　　p. 41

**1**

✏ 선대칭도형은 대칭축을 따라 접었을 때 완전히 겹쳐집니다.
따라서 대칭축을 그릴 수 있는 글자는 **A**, **C**이므로 모두 2개입니다.

**답** 2개

| 평가기준 | 선대칭도형인 글자를 바르게 찾은 경우 | 2점 | 합 4점 |
|---|---|---|---|
| | 선대칭도형인 글자가 모두 몇 개인지 구한 경우 | 2점 | |

**2**

✏ 점대칭도형은 어떤 점을 중심으로 180° 돌렸을 때 처음 도형과 완전히 겹쳐집니다.
따라서 점대칭도형인 글자는 **ㄹ**, **O**이므로 모두 2개입니다.

**답** 2개

| 평가기준 | 점대칭도형인 글자를 바르게 찾은 경우 | 2점 | 합 4점 |
|---|---|---|---|
| | 점대칭도형인 글자가 모두 몇 개인지 구한 경우 | 2점 | |

**3**

✏ 선대칭도형은 대칭축을 따라 접었을 때 완전히 겹쳐지므로 선대칭도형은 가, 다입니다.
점대칭도형은 어떤 점을 중심으로 180° 돌렸을 때 처음 도형과 완전히 겹쳐지므로 점대칭도형은 가입니다.
따라서 선대칭도형이면서 점대칭도형인 것은 가입니다.

**답** 가

| 평가기준 | 선대칭도형을 바르게 찾은 경우 | 2점 | 합 5점 |
|---|---|---|---|
| | 점대칭도형을 바르게 찾은 경우 | 2점 | |
| | 선대칭도형이면서 점대칭도형인 것을 바르게 찾은 경우 | 1점 | |

## 3. 합동과 대칭 (5)

**서술형 완성하기**　　　　　　　　p. 42

**1** 5　　답　5개

**2** 2, 4, ⓒ　　답　ⓒ

**서술형 정복하기**　　　　　　　　p. 43

**1**

 도형을 완전히 겹치도록 접었을 때, 접은 선을 모두 그려 보면 다음과 같습니다.

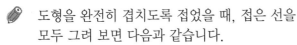 따라서 대칭축은 모두 5개입니다.

답　5개

| 평가 기준 | 대칭축을 모두 바르게 그린 경우 | 2점 | 합 |
|---|---|---|---|
| | 답을 바르게 구한 경우 | 2점 | 4점 |

**2**

 도형을 완전히 겹치도록 접었을 때, 접은 선을 모두 그려 보면 다음과 같습니다.

따라서 대칭축은 모두 3개입니다.

답　3개

| 평가 기준 | 대칭축을 모두 바르게 그린 경우 | 2점 | 합 |
|---|---|---|---|
| | 답을 바르게 구한 경우 | 2점 | 4점 |

**3**

글자를 완전히 겹치도록 접었을 때, 접은 선을 알아보면 **W**는 1개, **D**는 1개, **X**는 2개입니다.
따라서 대칭축이 가장 많은 선대칭도형인 글자는 **X**입니다.

답　X

| 평가 기준 | 대칭축의 개수를 바르게 구한 경우 | 2점 | 합 |
|---|---|---|---|
| | 답을 바르게 구한 경우 | 2점 | 4점 |

## 3. 합동과 대칭 (6)

**서술형 완성하기**　　　　　　　　p. 44

**1** ㅂㅁ, ㅂㅁ, 3　　답　3 cm

**2** ㄷㄴㄱ, ㄷㄴㄱ, 60　　답　60°

**서술형 정복하기**　　　　　　　　p. 45

**1**

변 ㄷㄹ의 대응변은 변 ㅂㄱ이므로 변 ㄷㄹ의 길이는 변 ㅂㄱ의 길이와 같습니다.
따라서 변 ㄷㄹ의 길이는 3 cm입니다.

답　3 cm

| 평가 기준 | 변 ㄷㄹ의 대응변을 바르게 찾은 경우 | 2점 | 합 |
|---|---|---|---|
| | 답을 바르게 구한 경우 | 2점 | 4점 |

**2**

각 ㄱㄴㄹ의 대응각은 각 ㄷㄴㄹ이므로 각 ㄱㄴㄹ의 크기는 각 ㄷㄴㄹ의 크기와 같습니다.
따라서 각 ㄱㄴㄹ의 크기는 20°이므로 각 ㄴㄱㄹ의 크기는 $180° - 130° - 20° = 30°$입니다.

답　30°

| 평가 기준 | 각 ㄱㄴㄹ의 대응각을 찾아 크기를 바르게 구한 경우 | 2점 | 합 |
|---|---|---|---|
| | 답을 바르게 구한 경우 | 2점 | 4점 |

**3**

각 ㄱㄴㄷ의 대응각은 각 ㄹㅁㅂ이므로 각 ㄱㄴㄷ의 크기는 각 ㄹㅁㅂ의 크기와 같습니다.
따라서 각 ㄱㄴㄷ의 크기는
$360° - 120° - 90° - 90° = 60°$입니다.

답　60°

| 평가 기준 | 각 ㄱㄴㄷ의 대응각을 바르게 찾은 경우 | 2점 | 합 |
|---|---|---|---|
| | 답을 바르게 구한 경우 | 2점 | 4점 |

## 3. 합동과 대칭 (7)

### 서술형 완성하기      p. 46

**1** I, I, 6, 9, I, IIII, I69I, I96I, 3

    **답** 3개

### 서술형 정복하기      p. 47

**1**

🖉 숫자를 180° 돌렸을 때 처음 숫자와 완전히 겹쳐지는 것은 0, 8이고 6을 180° 돌렸을 때 나오는 숫자가 9이므로 0, 8, 6, 9로 점대칭이 되는 수를 만들어 봅니다.

8968보다 큰 수가 되려면 천의 자리 숫자는 9가 되어야 합니다.

따라서 8968보다 큰 네 자리 수 중 점대칭이 되는 수는 9006, 9696, 9886, 9966이므로 모두 4개입니다.

    **답** 4개

| 평가기준 | 점대칭이 되는 수를 만들 수 있는 숫자를 찾은 경우 | 2점 | 합6점 |
|---|---|---|---|
| | 천의 자리에 올 숫자를 아는 경우 | 2점 | |
| | 답을 바르게 구한 경우 | 2점 | |

**2**

🖉 숫자를 180° 돌렸을 때 처음 숫자와 완전히 겹쳐지는 것은 0, I이고 6을 180° 돌렸을 때 나오는 숫자가 9이므로 0, I, 6, 9로 점대칭이 되는 수를 만들어 봅니다.

9006보다 작은 수가 되려면 천의 자리 숫자는 I과 6이 되어야 합니다.

따라서 9006보다 작은 네 자리 수 중 점대칭이 되는 수는 I00I, IIII, I69I, I96I, 6009, 6II9, 6699, 6969이므로 모두 8개입니다.

    **답** 8개

| 평가기준 | 점대칭이 되는 수를 만들 수 있는 숫자를 찾은 경우 | 2점 | 합6점 |
|---|---|---|---|
| | 천의 자리에 올 숫자를 아는 경우 | 2점 | |
| | 답을 바르게 구한 경우 | 2점 | |

### 실전! 서술형      p. 48 ~ 49

**1**

🖉 두 도형이 합동이 되려면 두 도형의 모양과 크기가 같아야 합니다.

따라서 점 ㉡을 오른쪽으로 한 칸 옮겨야 합니다.

| 평가기준 | 합동의 뜻을 알고 있는 경우 | 2점 | 합4점 |
|---|---|---|---|
| | 두 도형이 합동이 되려면 어떻게 해야 하는지 설명한 경우 | 2점 | |

**2**

🖉 (변 ㄴㄷ의 길이)=(변 ㅁㅂ의 길이)=12 cm

(변 ㄷㄱ의 길이)=(변 ㅂㄹ의 길이)=13 cm

➡ (삼각형 ㄱㄴㄷ의 둘레)=5+12+13

                     =30(cm)

| 평가기준 | 변 ㄴㄷ과 변 ㄷㄱ의 길이를 구한 경우 | 3점 | 합5점 |
|---|---|---|---|
| | 삼각형 ㄱㄴㄷ의 둘레를 구한 경우 | 2점 | |

**3**

🖉 각 ㄹㄱㄴ의 대응각은 각 ㅁㅇㅅ이므로 각 ㄹㄱㄴ의 크기와 각 ㅁㅇㅅ의 크기는 같습니다.

따라서 각 ㄹㄱㄴ의 크기가 90°이므로

각 ㄹㄷㄴ의 크기는

$360° - 100° - 110° - 90° = 60°$입니다.

    **답** 60°

| 평가기준 | 각 ㄹㄱㄴ의 대응각을 찾은 경우 | 1점 | 합5점 |
|---|---|---|---|
| | 각 ㄹㄱㄴ의 크기를 구한 경우 | 2점 | |
| | 각 ㄹㄷㄴ의 크기를 구한 경우 | 2점 | |

**4**

🖉 선대칭도형은 대칭축을 중심으로 나누어진 모양이 같으므로 선대칭도형인 글자는 H, I, M, X, Y입니다.

점대칭도형은 어떤 점을 중심으로 180° 돌렸을 때 처음 도형과 완전히 겹치므로 점대칭도형인 글자는 H, I, X입니다.

따라서 선대칭도형이면서 점대칭도형인 글자는 H, I, X이므로 모두 3개입니다.

    **답** 3개

| 평가<br>기준 | 선대칭도형인 글자를 찾은 경우 | 2점 | 합<br>5점 |
|---|---|---|---|
| | 점대칭도형인 글자를 찾은 경우 | 2점 | |
| | 답을 바르게 쓴 경우 | 1점 | |

## 5

✏ 글자를 완전히 겹쳐지도록 접었을 때, 접은 선을 알아보면 ㅁ은 2개, ㅅ은 1개, ㅎ은 1개입니다.
따라서 대칭축이 가장 많은 선대칭도형인 글자는 ㅁ입니다.

답 ㅁ

| 평가<br>기준 | 대칭축의 개수를 바르게 구한 경우 | 2점 | 합<br>4점 |
|---|---|---|---|
| | 답을 바르게 구한 경우 | 2점 | |

## 6

✏ 변 ㄱㄴ의 대응변은 변 ㄱㄷ이므로
(변 ㄱㄴ)=(변 ㄱㄷ)=15 cm입니다.
따라서 변 ㄴㄷ의 길이는
42−15−15=12(cm)입니다.

답 12 cm

| 평가<br>기준 | 변 ㄱㄷ의 길이를 구한 경우 | 2점 | 합<br>4점 |
|---|---|---|---|
| | 답을 바르게 구한 경우 | 2점 | |

### 쉬어가기   50쪽

| 5 | 4 | 8 | 6 | 9 | 1 | 2 | 3 | 7 |
|---|---|---|---|---|---|---|---|---|
| 2 | 9 | 7 | 3 | 8 | 5 | 1 | 4 | 6 |
| 3 | 1 | 6 | 7 | 2 | 4 | 5 | 9 | 8 |
| 9 | 2 | 3 | 8 | 6 | 7 | 4 | 1 | 5 |
| 1 | 8 | 4 | 9 | 5 | 2 | 6 | 7 | 3 |
| 6 | 7 | 5 | 1 | 4 | 3 | 9 | 8 | 2 |
| 4 | 6 | 1 | 5 | 3 | 8 | 7 | 2 | 9 |
| 8 | 5 | 2 | 4 | 7 | 9 | 3 | 6 | 1 |
| 7 | 3 | 9 | 2 | 1 | 6 | 8 | 5 | 4 |

## ④ 소수의 곱셈

### 4. 소수의 곱셈 (1)

#### 서술형 완성하기　　　　p. 52

**1** [방법 1] 4, 12, 48, 0.048

　　[방법 2] 48, $\frac{1}{10}$, $\frac{1}{100}$, $\frac{1}{1000}$

**2** [방법 1] 12, 11, 132, 1.32

　　[방법 2] 132, $\frac{1}{10}$, $\frac{1}{10}$, $\frac{1}{100}$

#### 서술형 정복하기　　　　p. 53

**1**

✏ [방법 1] 분수의 곱셈으로 고쳐서 계산하기

$$0.7 \times 1.2 = \frac{7}{10} \times \frac{12}{10} = \frac{84}{100} = 0.84$$

[방법 2] 자연수의 곱셈을 이용하여 계산하기
7과 12의 곱은 84입니다.

그런데 0.7은 7의 $\frac{1}{10}$배이고,

1.2는 12의 $\frac{1}{10}$배이므로 0.7×1.2는

84의 $\frac{1}{100}$배인 0.84입니다.

| 평가<br>기준 | 1가지 방법을 설명할 때마다 2점씩 배점하여 총 4점이 되도록 평가합니다. | 합<br>4점 |
|---|---|---|

**2**

✏ [방법 1] 분수의 곱셈으로 고쳐서 계산하기

$$1.5 \times 1.3 = \frac{15}{10} \times \frac{13}{10} = \frac{195}{100} = 1.95$$

[방법 2] 자연수의 곱셈을 이용하여 계산하기
15와 13의 곱은 195입니다.

그런데 1.5는 15의 $\frac{1}{10}$배이고,

1.3은 13의 $\frac{1}{10}$배이므로 1.5×1.3은

195의 $\frac{1}{100}$배인 1.95입니다.

| 평가기준 | 1가지 방법을 설명할 때마다 2점씩 배점하여 총 4점이 되도록 평가합니다. | 합 4점 |
|---|---|---|

## 3

✎ [방법 1] 분수의 곱셈으로 고쳐서 계산하기

$$1.82 \times 0.4 = \frac{182}{100} \times \frac{4}{10} = \frac{728}{1000}$$
$$= 0.728$$

[방법 2] 자연수의 곱셈을 이용하여 계산하기
182와 4의 곱은 728입니다.

그런데 1.82는 182의 $\frac{1}{100}$배이고,

0.4는 4의 $\frac{1}{10}$배이므로 $1.82 \times 0.4$는

728의 $\frac{1}{1000}$배인 0.728입니다.

| 평가기준 | 1가지 방법을 설명할 때마다 2점씩 배점하여 총 4점이 되도록 평가합니다. | 합 4점 |
|---|---|---|

## 4. 소수의 곱셈 (2)

### 서술형 완성하기   p. 54

**1** 0.4, 0.65, 0.4, 0.26, 0.26

답 0.26 L

**2** 18, 2.5, 45, 45

답 45 km

### 서술형 정복하기   p. 55

## 1

✎ (받을 수 있는 물의 양)=(한 시간 동안 받을 수 있는 물의 양)×(받는 시간)이므로
$120.4 \times 1.5 = 180.6$(L)입니다.
따라서 1.5시간 동안 받을 수 있는 물은 180.6 L입니다.

답 180.6 L

| 평가기준 | 문제에 알맞은 식을 바르게 세운 경우 | 2점 | 합 4점 |
|---|---|---|---|
| | 답을 바르게 구한 경우 | 2점 | |

## 2

✎ (영수가 모은 헌 종이의 무게)=(석기가 모은 헌 종이의 무게)×1.22이므로
$0.9 \times 1.22 = 1.098$(kg)입니다.
따라서 영수가 모은 헌 종이의 무게는 1.098 kg입니다.

답 1.098 kg

| 평가기준 | 문제에 알맞은 식을 바르게 세운 경우 | 2점 | 합 4점 |
|---|---|---|---|
| | 답을 바르게 구한 경우 | 2점 | |

## 3

✎ (1분 동안 파쇄할 수 있는 종이의 넓이)
=(1초 동안 파쇄할 수 있는 종이의 넓이)
  ×60이므로
$36.3 \times 60 = 2178$(cm$^2$)입니다.
따라서 1분 동안 2178 cm$^2$의 종이를 파쇄할 수 있습니다.

답 2178 cm$^2$

| 평가기준 | 문제에 알맞은 식을 바르게 세운 경우 | 2점 | 합 4점 |
|---|---|---|---|
| | 답을 바르게 구한 경우 | 2점 | |

## 4. 소수의 곱셈 (3)

### 서술형 완성하기   p. 56

**1** 2.94, 1.5, 4.41, 4.41

답 4.41 cm$^2$

**2** 4.6, 4.6, 21.16, 21.16, 529

답 529 cm$^2$

### 서술형 정복하기   p. 57

## 1

✎ (삼각형의 넓이)=(밑변)×(높이)÷2이므로
$6.5 \times 4 \div 2 = 26 \div 2 = 13$(cm$^2$)입니다.
따라서 삼각형의 넓이는 13 cm$^2$입니다.

답 13 cm$^2$

| 평가<br>기준 | 삼각형의 넓이를 구하는 식을 바르게 세운 경우 | 2점 | 합<br>4점 |
|---|---|---|---|
| | 답을 바르게 구한 경우 | 2점 | |

### 2

✎ (직사각형 모양의 꽃밭의 넓이)
$=3.2 \times 2.6=8.32(\text{m}^2)$이므로
채송화를 심은 부분의 넓이는
$8.32 \times 0.3=2.496(\text{m}^2)$입니다.

답 $2.496 \text{ m}^2$

| 평가<br>기준 | 직사각형 모양의 꽃밭의 넓이를 구한 경우 | 2점 | 합<br>4점 |
|---|---|---|---|
| | 답을 바르게 구한 경우 | 2점 | |

### 3

✎ (평행사변형의 넓이)
$=4.5 \times 1.92=8.64(\text{cm}^2)$
(색칠하지 않은 직사각형의 넓이)
$=2 \times 1.6=3.2(\text{cm}^2)$
따라서 색칠한 부분의 넓이는
$8.64-3.2=5.44(\text{cm}^2)$입니다.

답 $5.44 \text{ cm}^2$

| 평가<br>기준 | 평행사변형의 넓이를 구한 경우 | 2점 | 합<br>5점 |
|---|---|---|---|
| | 색칠하지 않은 직사각형의 넓이를 구한 경우 | 2점 | |
| | 답을 바르게 구한 경우 | 1점 | |

## 4. 소수의 곱셈 (4)

### 서술형 완성하기     p. 58

**1** 43.52 / 3, 3, 3, 42, 43.52

**2** 10.675 / 4, 4, 4, 12, 10.675

### 서술형 정복하기     p. 59

### 1

✎ 13.5와 5.1을 반올림하여 자연수로 나타내면 각각 14와 5입니다.
따라서 $13.5 \times 5.1$은 14의 5배 정도로 어림할 수 있으므로 $14 \times 5=70$보다 조금 작은 값이 됩니다.
➡ $13.5 \times 5.1=68.85$

| 평가<br>기준 | 알맞은 위치에 소수점을 찍은 경우 | 2점 | 합<br>5점 |
|---|---|---|---|
| | 그 이유를 바르게 설명한 경우 | 3점 | |

### 2

✎ 4.8과 2.38을 반올림하여 자연수로 나타내면 각각 5와 2입니다.
따라서 $4.8 \times 2.38$은 5의 2배 정도로 어림할 수 있으므로 $5 \times 2=10$보다 조금 큰 값이 됩니다.
➡ $4.8 \times 2.38=11.424$

| 평가<br>기준 | 알맞은 위치에 소수점을 찍은 경우 | 2점 | 합<br>5점 |
|---|---|---|---|
| | 그 이유를 바르게 설명한 경우 | 3점 | |

### 3

✎ 8.9와 9.8을 반올림하여 자연수로 나타내면 각각 9와 10입니다.
따라서 $8.9 \times 9.8$은 9의 10배 정도로 어림할 수 있으므로 $9 \times 10=90$보다 조금 작은 값이 됩니다.
➡ $8.9 \times 9.8=87.22$

| 평가<br>기준 | 알맞은 위치에 소수점을 찍은 경우 | 2점 | 합<br>5점 |
|---|---|---|---|
| | 그 이유를 바르게 설명한 경우 | 3점 | |

## 4. 소수의 곱셈 (5)

### 서술형 완성하기     p. 60

**1** 왼쪽, 세, 0.001

    답 0.001

**2** 두, 두, 1.15

    답 1.15

### 서술형 정복하기     p. 61

### 1

✎ 72.9는 729에서 소수점을 왼쪽으로 한 자리 옮긴 수입니다.
따라서 ☐ 안에 알맞은 수는 0.1입니다.

답 0.1

# 정답과 풀이

| 평가기준 | 곱해지는 수와 곱의 소수점의 위치를 바르게 비교한 경우 | 2점 | 합 4점 |
|---|---|---|---|
| | 답을 바르게 구한 경우 | 2점 | |

## 2

✎ 722.9는 7.229에서 소수점을 오른쪽으로 두 자리 옮긴 수입니다.
따라서 ☐ 안에 알맞은 수는 100입니다.

🅐 100

| 평가기준 | 곱해지는 수와 곱의 소수점의 위치를 바르게 비교한 경우 | 2점 | 합 4점 |
|---|---|---|---|
| | 답을 바르게 구한 경우 | 2점 | |

## 3

✎ 0.043은 소수 세 자리 수이므로 $32×0.043$ 도 소수 세 자리 수입니다.
따라서 ☐ 안에 알맞은 수는 1.376입니다.

🅐 1.376

| 평가기준 | 곱하는 수의 소수점의 위치를 이용하여 곱의 소수점의 위치를 안 경우 | 2점 | 합 4점 |
|---|---|---|---|
| | 답을 바르게 구한 경우 | 2점 | |

### 실전! 서술형  p. 62 ~ 63

## 1

✎ [방법 1] 분수의 곱셈으로 고쳐서 계산하기
$$0.9×1.6=\frac{9}{10}×\frac{16}{10}=\frac{144}{100}$$
$$=1.44$$

[방법 2] 자연수의 곱셈을 이용하여 계산하기
9와 16의 곱은 144입니다.

그런데 0.9는 9의 $\frac{1}{10}$배이고,

1.6은 16의 $\frac{1}{10}$배이므로 $0.9×1.6$은

144의 $\frac{1}{100}$배인 1.44입니다.

| 평가기준 | 1가지 방법을 설명할 때마다 2점씩 배점하여 총 4점이 되도록 평가합니다. | 합 4점 |
|---|---|---|

## 2

✎ 2시간 45분$=2\frac{45}{60}$시간$=2\frac{3}{4}$시간
$$=2\frac{75}{100}시간=2.75시간$$

따라서 2시간 45분 동안 기차가 갈 수 있는 거리는 $80.2×2.75=220.55(km)$입니다.

🅐 220.55 km

| 평가기준 | 2시간 45분은 몇 시간인지 소수로 바르게 나타낸 경우 | 2점 | 합 5점 |
|---|---|---|---|
| | 문제에 알맞은 식을 바르게 세운 경우 | 2점 | |
| | 답을 바르게 구한 경우 | 1점 | |

## 3

✎ 4분 30초$=4\frac{30}{60}$분$=4\frac{1}{2}$분$=4.5$분
따라서 4분 30초 동안 받은 물의 양은
$5.28×4.5=23.76(L)$입니다.

🅐 23.76 L

| 평가기준 | 4분 30초는 몇 분인지 소수로 바르게 나타낸 경우 | 2점 | 합 5점 |
|---|---|---|---|
| | 4분 30초 동안 받은 물의 양을 바르게 구한 경우 | 3점 | |

## 4

✎ 사다리꼴의 넓이는
{(윗변)+(아랫변)}×(높이)÷2이므로
$(3.1+5.4)×4÷2=8.5×4÷2=34÷2$
$$=17(cm^2)입니다.$$
따라서 사다리꼴의 넓이는 17 cm²입니다.

🅐 17 cm²

| 평가기준 | 사다리꼴의 넓이를 구하는 식을 바르게 세운 경우 | 2점 | 합 4점 |
|---|---|---|---|
| | 답을 바르게 구한 경우 | 2점 | |

## 5

✎ 4.87과 2.8을 반올림하여 자연수로 나타내면 각각 5와 3입니다.
따라서 $4.87×2.8$은 5의 3배 정도로 어림할 수 있으므로 $5×3=15$보다 조금 작은 값이 됩니다.
➡ $4.87×2.8=13.636$

| 평가기준 | 알맞은 위치에 소수점을 찍은 경우 | 2점 | 합 |
|---|---|---|---|
| | 그 이유를 바르게 설명한 경우 | 3점 | 5점 |

## 6

✎ 280은 2.8에서 소수점을 오른쪽으로 두 자리 옮긴 수이므로 ㉠=100이고,
5.6은 56에서 소수점을 왼쪽으로 한 자리 옮긴 수이므로 ㉡=0.1입니다.

**답** ㉠ 100, ㉡ 0.1

| 평가기준 | 곱해지는 수와 곱의 소수점의 위치를 바르게 비교하여 ㉠을 구한 경우 | 2점 | 합 |
|---|---|---|---|
| | 곱해지는 수와 곱의 소수점의 위치를 바르게 비교하여 ㉡을 구한 경우 | 2점 | 4점 |

### 쉬어가기 64쪽

| 4 | 2 | 5 | 6 | 3 | 1 | 8 | 9 | 7 |
| 7 | 6 | 1 | 9 | 8 | 4 | 3 | 5 | 2 |
| 8 | 9 | 3 | 7 | 5 | 2 | 6 | 1 | 4 |
| 6 | 1 | 7 | 5 | 2 | 3 | 4 | 8 | 9 |
| 3 | 4 | 2 | 8 | 9 | 7 | 5 | 6 | 1 |
| 9 | 5 | 8 | 1 | 4 | 6 | 2 | 7 | 3 |
| 5 | 8 | 4 | 2 | 1 | 9 | 7 | 3 | 6 |
| 2 | 7 | 9 | 3 | 6 | 8 | 1 | 4 | 5 |
| 1 | 3 | 6 | 4 | 7 | 5 | 9 | 2 | 8 |

## 5 직육면체

## 5. 직육면체 (1)

### 서술형 완성하기 p. 66

**1** 나, 다, 6, 라, 4, 라

**2** 다, 라, 6, 나, 2, 나

### 서술형 정복하기 p. 67

### 1

✎ 나, 다, 라는 각각 직사각형 6개로 둘러싸여 있고, 가는 오각형 2개와 사각형 5개로 둘러싸여 있습니다.
따라서 직육면체가 아닌 것은 가입니다.

| 평가기준 | 직육면체가 아닌 것을 찾은 경우 | 2점 | 합 |
|---|---|---|---|
| | 직육면체가 아닌 이유를 설명한 경우 | 2점 | 4점 |

### 2

✎ 가, 나, 다는 각각 직사각형 6개로 둘러싸여 있고, 라는 직사각형 4개와 사다리꼴 2개로 둘러싸여 있습니다.
따라서 직육면체가 아닌 것은 라입니다.

| 평가기준 | 직육면체가 아닌 것을 찾은 경우 | 2점 | 합 |
|---|---|---|---|
| | 직육면체가 아닌 이유를 설명한 경우 | 2점 | 4점 |

### 3

✎ 가, 다, 라는 각각 정사각형 6개로 둘러싸여 있고, 나는 직사각형 6개로 둘러싸여 있습니다.
따라서 정육면체가 아닌 것은 나입니다.

| 평가기준 | 정육면체가 아닌 것을 찾은 경우 | 2점 | 합 |
|---|---|---|---|
| | 정육면체가 아닌 이유를 설명한 경우 | 2점 | 4점 |

정답과 풀이

## 5. 직육면체 (2)

서술형 완성하기 p.68

**1** ㄹㄷㅅㅇ  답 면 ㄹㄷㅅㅇ

**2** ㅇㅅ, ㄹㄷ, 4  답 4개

서술형 정복하기 p.69

**1**

면 ㄴㅂㅅㄷ과 평행한 면은 면 ㄴㅂㅅㄷ과 마주 보는 면입니다.
따라서 면 ㄴㅂㅅㄷ과 평행한 면은
면 ㄱㅁㅇㄹ입니다.

답 면 ㄱㅁㅇㄹ

| 평가기준 | 마주 보는 두 면 사이의 관계를 아는 경우 | 2점 | 합 4점 |
|---|---|---|---|
| | 면 ㄴㅂㅅㄷ과 평행한 면을 찾은 경우 | 2점 | |

**2**

직육면체에서 한 면과 수직이 아닌 면은 평행한 면을 뜻합니다.
따라서 면 ㄷㅅㅇㄹ과 수직이 아닌 면은 면 ㄴㅂㅁㄱ입니다.

답 면 ㄴㅂㅁㄱ

| 평가기준 | 수직이 아닌 면은 평행한 면임을 아는 경우 | 2점 | 합 4점 |
|---|---|---|---|
| | 답을 구한 경우 | 2점 | |

**3**

직육면체에서 평행한 모서리의 길이는 같으므로 길이가 5 cm인 모서리는 모서리 ㄱㄴ, 모서리 ㄹㄷ, 모서리 ㅇㅅ, 모서리 ㅁㅂ입니다.
따라서 길이가 5 cm인 모서리는 모두 4개입니다.

답 4개

| 평가기준 | 길이가 5 cm인 모서리를 찾은 경우 | 3점 | 합 4점 |
|---|---|---|---|
| | 길이가 5 cm인 모서리는 모두 몇 개인지 구한 경우 | 1점 | |

## 5. 직육면체 (3)

서술형 완성하기 p.70

**1** ㄷㅅㅇㄹ, ㅁㅂㅅㅇ, ㄴㅂㅁㄱ
  답 면 ㄱㄴㄷㄹ, 면 ㄷㅅㅇㄹ, 면 ㅁㅂㅅㅇ, 면 ㄴㅂㅁㄱ

**2** 라, 가, 다, 마, 바
  답 면 가, 면 다, 면 마, 면 바

서술형 정복하기 p.71

**1**

면 ㄱㅁㅇㄹ과 수직인 면은 면 ㄱㅁㅇㄹ과 만나는 면입니다.
따라서 면 ㄱㅁㅇㄹ과 수직인 면은
면 ㄱㄴㄷㄹ, 면 ㄱㅁㅂㄴ, 면 ㅁㅂㅅㅇ, 면 ㄹㅇㅅㄷ입니다.

답 면 ㄱㄴㄷㄹ, 면 ㄱㅁㅂㄴ, 면 ㅁㅂㅅㅇ, 면 ㄹㅇㅅㄷ

| 평가기준 | 만나는 두 면 사이의 관계를 아는 경우 | 2점 | 합 4점 |
|---|---|---|---|
| | 면 ㄱㅁㅇㄹ과 수직인 면을 찾은 경우 | 2점 | |

**2**

직육면체에서 한 면과 수직인 면은 4개입니다.
따라서 면 ㄷㅅㅇㄹ과 수직인 면은 면 ㄱㄴㄷㄹ, 면 ㄴㅂㅅㄷ, 면 ㅁㅂㅅㅇ, 면 ㄱㅁㅇㄹ입니다.

답 면 ㄱㄴㄷㄹ, 면 ㄴㅂㅅㄷ, 면 ㅁㅂㅅㅇ, 면 ㄱㅁㅇㄹ

| 평가기준 | 한 면과 수직인 면이 4개임을 아는 경우 | 2점 | 합 4점 |
|---|---|---|---|
| | 수직인 면을 모두 찾은 경우 | 2점 | |

**3**

면 다와 평행한 면을 제외한 나머지 4개의 면이 면 다와 수직인 면입니다.
따라서 면 다와 평행한 면은 면 마이므로

면 다와 수직인 면은 면 가, 면 나, 면 라, 면 바입니다.

**답** 면 가, 면 나, 면 라, 면 바

| 평가 기준 | 만나는 두 면 사이의 관계를 아는 경우 | 2점 | 합 4점 |
|---|---|---|---|
| | 면 다와 수직으로 만나는 면을 찾은 경우 | 2점 | |

보이는 모서리를 실선으로 그려야 하는데 점선으로 그렸습니다.

| 평가 기준 | 잘못 그린 이유를 설명한 경우 | 3점 | 합 5점 |
|---|---|---|---|
| | 겨냥도를 바르게 그린 경우 | 2점 | |

## 5. 직육면체 (4)

서술형 **완성하기** p. 72

**1** ㄷㄹ, 보이는, 실선, 점선

**2** ㄴㅂ, ㅁㅇ, ㄴㅂ, ㅁㅇ

서술형 **정복하기** p. 73

**1**

🖊 모서리 ㄴㄷ은 보이는 모서리이므로 실선으로 그려야 하는데 점선으로 그렸습니다.

| 평가 기준 | 잘못 그린 부분을 찾은 경우 | 2점 | 합 4점 |
|---|---|---|---|
| | 잘못 그린 이유를 설명한 경우 | 2점 | |

**2**

🖊 모서리 ㅅㅇ은 보이지 않는 모서리입니다. 따라서 모서리 ㅅㅇ을 점선으로 그려야 합니다.

| 평가 기준 | 잘못 그린 부분을 찾은 경우 | 2점 | 합 4점 |
|---|---|---|---|
| | 어떻게 고쳐야 하는지 설명한 경우 | 2점 | |

**3**

🖊

## 5. 직육면체 (5)

서술형 **완성하기** p. 74

**1** 다, 다

**2** 나, 나

서술형 **정복하기** p. 75

**1**

🖊 가의 전개도를 접었을 때 두 면이 겹쳐집니다. 따라서 직육면체의 전개도가 아닌 것은 가입니다.

| 평가 기준 | 직육면체의 전개도가 아닌 것을 찾은 경우 | 2점 | 합 4점 |
|---|---|---|---|
| | 직육면체의 전개도가 아닌 이유를 설명한 경우 | 2점 | |

**2**

🖊 나의 전개도를 접었을 때 두 면이 겹쳐집니다. 따라서 정육면체의 전개도가 아닌 것은 나입니다.

| 평가 기준 | 정육면체의 전개도가 아닌 것을 찾은 경우 | 2점 | 합 4점 |
|---|---|---|---|
| | 정육면체의 전개도가 아닌 이유를 설명한 경우 | 2점 | |

## 3

🖋 가의 전개도는 면이 5개이므로 직육면체의 전개도가 아닙니다.

다는 전개도를 접었을 때 만나는 변의 길이가 다르므로 직육면체의 전개도가 아닙니다.

| 평가 기준 | 직육면체의 전개도가 아닌 것을 모두 찾은 경우 | 2점 | 합 5점 |
|---|---|---|---|
| | 직육면체의 전개도가 아닌 이유를 설명한 경우 | 3점 | |

### 실전! 서술형      p. 76 ~ 77

## 1

🖋 가, 다, 라는 각각 직사각형 6개로 둘러싸여 있고, 나는 직사각형 4개와 사다리꼴 2개로 둘러싸여 있습니다.

따라서 직육면체가 아닌 것은 나입니다.

| 평가 기준 | 직육면체가 아닌 것을 찾은 경우 | 2점 | 합 4점 |
|---|---|---|---|
| | 직육면체가 아닌 이유를 설명한 경우 | 2점 | |

## 2

🖋 면 마와 평행한 면은 마주 보는 면입니다.

따라서 면 마와 마주 보는 면은 면 가이므로 면 마와 평행한 면은 면 가입니다.

📝 답   면 가

| 평가 기준 | 마주 보는 두 면 사이의 관계를 아는 경우 | 2점 | 합 4점 |
|---|---|---|---|
| | 면 마와 평행한 면을 찾은 경우 | 2점 | |

## 3

🖋 직육면체에서 평행한 면은 서로 마주 보는 면입니다.

따라서 면 ㄱㄴㄷㄹ과 평행한 면은 면 ㅁㅂㅅㅇ이고, 면 ㄹㅇㅅㄷ과 평행한 면은 면 ㄱㅁㅂㄴ입니다.

📝 답   면 ㅁㅂㅅㅇ, 면 ㄱㅁㅂㄴ

| 평가 기준 | 평행한 면은 마주 보는 면임을 아는 경우 | 2점 | 합 5점 |
|---|---|---|---|
| | 평행한 면을 찾은 경우 | 3점 | |

## 4

🖋 직육면체에서 한 면과 수직인 면은 4개입니다.

따라서 면 ㅁㅂㅅㅇ과 수직인 면은 면 ㄴㅂㅅㄷ, 면 ㄷㅅㅇㄹ, 면 ㄱㅁㅇㄹ, 면 ㄴㅂㅁㄱ입니다.

📝 답   면 ㄴㅂㅅㄷ, 면 ㄷㅅㅇㄹ, 면 ㄱㅁㅇㄹ, 면 ㄴㅂㅁㄱ

| 평가 기준 | 한 면과 수직인 면이 4개임을 아는 경우 | 2점 | 합 4점 |
|---|---|---|---|
| | 수직인 면을 모두 찾은 경우 | 2점 | |

## 5

🖋 모서리 ㄱㅁ은 보이지 않는 모서리입니다.

따라서 모서리 ㄱㅁ을 점선으로 그려야 합니다.

| 평가 기준 | 잘못 그린 부분을 찾은 경우 | 2점 | 합 4점 |
|---|---|---|---|
| | 잘못 그린 이유를 설명한 경우 | 2점 | |

## 6

🖋 가의 전개도는 겹치는 면이 있으므로 직육면체의 전개도가 아닙니다.

나는 잘라지지 않은 모서리를 실선으로 나타내었으므로 직육면체의 전개도가 아닙니다.

| 평가 기준 | 직육면체의 전개도가 아닌 것을 모두 찾은 경우 | 3점 | 합 5점 |
|---|---|---|---|
| | 직육면체의 전개도가 아닌 이유를 설명한 경우 | 2점 | |

### 쉬어가기      78쪽

## 6 평균과 가능성

## 6. 평균과 가능성 (1)

**서술형 완성하기** p. 80

**1** 187, 205, 240, 990, 990, 198

답 198 L

**서술형 정복하기** p. 81

**1**

🖉 한별이네 모둠 학생들의 몸무게의 합은
$55+58+53+54=220(\text{kg})$이고
모둠 학생 수는 4명입니다.
따라서 모둠 학생들의 몸무게의 평균은
$\dfrac{220}{4}=55(\text{kg})$입니다.

답 55 kg

| 평가기준 | 모둠 학생들의 몸무게의 총합을 바르게 구한 경우 | 2점 | 합4점 |
|---|---|---|---|
| | 모둠 학생들의 평균 몸무게를 바르게 구한 경우 | 2점 | |

**2**

🖉 지난주 5일 동안의 최고 기온의 합은
$19+22+20+23+21=105(℃)$입니다.
따라서 지난주 요일별 최고 기온의 평균은
$\dfrac{220}{4}=21(℃)$입니다.

답 21 ℃

| 평가기준 | 지난주 5일 동안의 최고 기온의 합을 바르게 구한 경우 | 2점 | 합4점 |
|---|---|---|---|
| | 지난주 요일별 최고 기온의 평균을 바르게 구한 경우 | 2점 | |

**3**

🖉 과수원별 사과 생산량의 총합은
$325+350+375+380+345=1775(\text{kg})$
입니다.

따라서 과수원별 평균 사과 생산량은
$\dfrac{1775}{5}=355(\text{kg})$입니다.

답 355 kg

| 평가기준 | 과수원별 사과 생산량의 총합을 바르게 구한 경우 | 2점 | 합4점 |
|---|---|---|---|
| | 과수원별 평균 사과 생산량을 바르게 구한 경우 | 2점 | |

## 6. 평균과 가능성 (2)

**서술형 완성하기** p. 82

**1** 165, 33, 165, 1, 33, 165, 6, 35, 165,
210, 45, 45

답 45 kg

**서술형 정복하기** p. 83

**1**

🖉 동아리 회원의 발 길이의 평균은
$$\dfrac{272+232+290+240+250+240}{6}$$
$$=\dfrac{1524}{6}=254(\text{mm})$$입니다.
새로 들어온 회원의 발 길이를 $\square$ mm라고
하면 $\dfrac{1524+\square}{6+1}=254+1$이므로

$\dfrac{1524+\square}{7}=255$, $1524+\square=1785$,

$\square=261$입니다.
따라서 새로 들어온 회원의 발 길이는
261 mm입니다.

답 261 mm

| 평가기준 | 6명의 평균 발 길이를 바르게 구한 경우 | 2점 | 합4점 |
|---|---|---|---|
| | 7명의 평균 발 길이를 구하는 식을 바르게 나타낸 경우 | 1점 | |
| | 답을 바르게 구한 경우 | 1점 | |

# 정답과 풀이

**2**

 모둠원 6명의 평균 키는

$$\frac{123+136+138+131+134+142}{6}$$

$$=\frac{804}{6}=134(\text{cm})\text{입니다.}$$

새로 들어온 친구의 키를 □ cm라고 하면

$$\frac{804+\square}{6+1}=134-2\text{이므로}$$

$$\frac{804+\square}{7}=132,\ 804+\square=924,$$

□=120입니다.

따라서 새로 들어온 친구의 키는 120 cm입니다.

**답** 120 cm

| 평가기준 | 6명의 평균 키를 바르게 구한 경우 | 2점 | 합4점 |
|---|---|---|---|
| | 7명의 평균 키를 구하는 식을 바르게 나타낸 경우 | 1점 | |
| | 답을 바르게 구한 경우 | 1점 | |

## 6. 평균과 가능성 (3)

### 서술형 완성하기                     p. 84

**1** 340, 264, 340, 264, 76

**답** 76점

### 서술형 정복하기                     p. 85

**1**

 7일 동안 읽은 동화책 쪽수의 평균이 30쪽일 때 전체 쪽수는 30×7=210(쪽)이고
1일부터 6일까지 읽은 쪽수는
23+24+18+42+32+25=164(쪽)입니다.
따라서 평균 30쪽이 되기 위해서 7일째인 날에 읽어야 할 쪽수는 210-164=46(쪽)입니다.

**답** 46쪽

| 평가기준 | 평균을 이용하여 합계를 바르게 구한 경우 | 2점 | 합4점 |
|---|---|---|---|
| | 주어진 자료의 합을 바르게 구한 경우 | 1점 | |
| | 답을 바르게 구한 경우 | 1점 | |

**2**

 귤 8개의 무게의 합은 142×8=1136(g)이고 무게를 잰 귤 7개의 무게의 합은
141+145+140+136+128+133+137
=960(g)입니다.
따라서 무게를 재지 않은 나머지 귤 한 개의 무게는 1136-960=176(g)입니다.

**답** 176 g

| 평가기준 | 평균을 이용하여 합계를 바르게 구한 경우 | 2점 | 합4점 |
|---|---|---|---|
| | 주어진 자료의 합을 바르게 구한 경우 | 1점 | |
| | 답을 바르게 구한 경우 | 1점 | |

**3**

 5회까지 영어 점수의 합은 88×5=440(점)이고 4회까지 영어 점수의 합은
85.5×4=342(점)입니다.
따라서 5회째 시험에서 받아야 할 점수는
440-342=98(점)입니다.

**답** 98점

| 평가기준 | 평균을 이용하여 5회까지 영어 점수의 합계를 바르게 구한 경우 | 2점 | 합5점 |
|---|---|---|---|
| | 평균을 이용하여 4회까지 영어 점수의 합계를 바르게 구한 경우 | 2점 | |
| | 답을 바르게 구한 경우 | 1점 | |

## 6. 평균과 가능성 (4)

### 서술형 완성하기                     p. 86

**1** 4, 4, 2, $\frac{1}{2}$                     **답** $\frac{1}{2}$

**2** 40, 40, 30, $\frac{3}{4}$                     **답** $\frac{3}{4}$

## 서술형 정복하기       p. 87

**1**

✏️ 전체 공의 수는 $3+5+4=12$(개)입니다.
따라서 꺼낸 공이 빨간색일 가능성은 12개 중의 3개이므로 $\dfrac{1}{4}$입니다.

답 $\dfrac{1}{4}$

| 평가기준 | 전체 공의 수를 바르게 구한 경우 | 2점 | 합 4점 |
|---|---|---|---|
| | 답을 바르게 구한 경우 | 2점 | |

**2**

✏️ 전체 학생 수는 $4+4=8$(명)입니다.
따라서 모둠장 한 명을 뽑을 때 여학생이 뽑힐 가능성은 8명 중의 4명이므로 $\dfrac{1}{2}$입니다.

답 $\dfrac{1}{2}$

| 평가기준 | 전체 학생 수를 바르게 구한 경우 | 2점 | 합 4점 |
|---|---|---|---|
| | 답을 바르게 구한 경우 | 2점 | |

**3**

✏️ 수 카드는 모두 10장이고 홀수가 쓰여 있는 수 카드는 1, 3, 5, 7, 9의 5장입니다.
따라서 홀수를 뽑을 가능성은 10장 중의 5장이므로 $\dfrac{1}{2}$입니다.

답 $\dfrac{1}{2}$

| 평가기준 | 전체 수 카드의 개수와 홀수가 쓰여 있는 수 카드의 개수를 바르게 구한 경우 | 2점 | 합 4점 |
|---|---|---|---|
| | 답을 바르게 구한 경우 | 2점 | |

## 실전! 서술형       p. 88~89

**1**

✏️ (상연이의 평균)$=\dfrac{78+88+90+84}{4}$

$=\dfrac{340}{4}=85$(점)

(웅이의 평균)$=\dfrac{85+80+90+83}{4}$

$=\dfrac{338}{4}=84.5$(점)

따라서 상연이의 성적이 더 좋습니다.

답 상연

| 평가기준 | 상연이와 웅이의 평균 점수를 바르게 구한 경우 | 3점 | 합 5점 |
|---|---|---|---|
| | 누구의 성적이 더 좋은지 구한 경우 | 2점 | |

**2**

✏️ 학생들의 평균 몸무게는

$\dfrac{37.75\times12+34.5\times14}{12+14}$

$=\dfrac{453+483}{26}=\dfrac{936}{26}=36$(kg)입니다.

전학 온 학생의 몸무게를 $\square$ kg이라고 하면

$\dfrac{936+\square}{26+1}=36$이므로 $\dfrac{936+\square}{27}=36$,

$936+\square=972$, $\square=36$입니다.
따라서 전학 온 학생의 몸무게는 36 kg입니다.

답 36 kg

| 평가기준 | 26명의 평균 몸무게를 바르게 구한 경우 | 2점 | 합 5점 |
|---|---|---|---|
| | 27명의 평균 몸무게를 구하는 식을 바르게 나타낸 경우 | 2점 | |
| | 답을 바르게 구한 경우 | 1점 | |

**3**

✏️ 줄넘기 횟수의 평균이 100번일 때 줄넘기 횟수의 합은 $100\times5=500$(번)이고
지혜, 가영, 한별, 동민이가 한 줄넘기 횟수의 합은 $120+80+85+72=357$(번)입니다.
따라서 예슬이는 줄넘기를
$500-357=143$(번)을 했습니다.

답 143번

| 평가기준 | 평균을 이용하여 합계를 바르게 구한 경우 | 2점 | 합 4점 |
|---|---|---|---|
| | 주어진 자료의 합을 바르게 구한 경우 | 1점 | |
| | 답을 바르게 구한 경우 | 1점 | |

**4**

✎ 수 카드는 모두 10장이고, 2의 배수가 쓰여 있는 카드는 2, 4, 6, 8, 10의 5장입니다. 따라서 뽑힌 카드가 2의 배수가 쓰여 있는 카드일 가능성은 10장 중의 5장이므로 $\frac{5}{10}=\frac{1}{2}$입니다.

답 $\frac{1}{2}$

| 평가기준 | 2의 배수가 쓰여 있는 카드가 몇 장인지 바르게 구한 경우 | 2점 | 합 4점 |
|---|---|---|---|
| | 답을 바르게 구한 경우 | 2점 | |

## 쉬어가기
90쪽

Memo

# 5 학년이 꼭✓..... 알아야 한 수학 서술형